D1234479

REMODELEZ VOTRE VIE À L'IMAGE DE LA
RÉUSSITE

WES BEAVIS

REMODELEZ VOTRE VIE À L'IMAGE DE LA RÉUSSITE

WES BEAVIS

ÉDITIONS
du trésor caché

REMODELEZ VOTRE VIE À L'IMAGE DE LA RÉUSSITE
Édition originale publiée en anglais par Powerborn, Irvine, CA (É.-U.)
sous le titre :
GIVE YOUR LIFE A SUCCESS MAKEOVER
© 2004, W. J. Beavis
Tous droits réservés

© Édition française, 2006 ÉDITIONS DU TRÉSOR CACHÉ
Tous droits réservés.

ÉDITIONS DU TRÉSOR CACHÉ
815, boul. St-René Ouest, Local 3
Gatineau (Québec)
J8T 8M3 - Canada
Tél. : (819) 561-1024
Téléc. : (819) 561-3340
Courriel : editions@tresorcache.com
Site Web : www.tresorcache.com

Traduction : Caroline Charland
Infographie : Richard Ouellette, infographiste

Dépôt légal – 2007
Bibliothèque nationale du Québec
Bibliothèque nationale du Canada

Gouvernement du Québec – Programme de crédit d'impôt pour l'édition
de livres – Gestion SODEC

ISBN 978-2-922405-45-3

Imprimé au Canada

Je dédie le présent livre aux amours de ma vie…
à Ellie et à nos fils David et Zachary.

Introduction

C es dernières années, on a vu naître bon nombre d'émissions de télévision portant sur la métamorphose ou le «changement de look» qui consiste à prendre une personne telle qu'elle est pour l'améliorer. Parfois, il suffit de l'emmener dans les coulisses pour l'habiller et la coiffer différemment. Il est toujours fascinant et inspirant de voir quelqu'un d'aspect morne réapparaître resplendissant.

Au fil du temps, le concept de métamorphose a évolué. On passe actuellement à la télévision une émission qui s'intitule «Extreme Makeover» (Métamorphose radicale) et que, oserais-je l'avouer, j'adore. Les producteurs de cette émission soustraient les personnes choisies à leur cadre de vie habituel (famille, ville, travail) et les remettent pendant trois mois au plus entre les mains expertes de toutes sortes de chirurgiens plasticiens, de spécialistes de chirurgie oculaire au laser et de dentistes. Grâce à des interventions chirurgicales merveilleusement invasives, ces derniers améliorent l'aspect physique de leurs patients qui, pendant les jours qui suivent les diverses opérations, ont l'air d'être passés sous les roues d'un convoi de bétaillères. Cependant, au fil de la cicatrisation, leur «nouveau moi» commence à prendre forme. Les sujets de cette métamorphose sont ensuite soumis à un programme de gymnastique intensive de six semaines sous l'œil vigilant d'un entraîneur personnel. Ainsi mieux alimentés, habillés et coiffés, ils sont alors réintroduits dans leur cadre de vie d'origine, bref, en meilleur état qu'avant.

Bien sûr, le résultat n'est pas parfait. Et la vie non plus ne devient pas rose simplement parce que les sujets ont le nez refait, les dents bien blanches et l'air «rajeuni». Cependant, le fait est qu'ils sont devenus une version améliorée d'eux-mêmes. Ils débordent d'une nouvelle énergie et leur nouvelle apparence s'accompagne d'un regain d'optimisme pour l'avenir. Leur vie se trouve améliorée du fait de certains changements. C'est dans cet esprit que j'ai écrit le présent livre. Parce que nous nous améliorons, notre vie se bonifie.

Seriez-vous devenu captif d'une réussite passée?

Il se peut fort bien que vous ayez déjà apporté des améliorations sensibles à votre vie et que vous soyez considéré comme ayant bien réussi, mais que tout en étant arrivé à un niveau «supérieur à la moyenne», vous n'y plafonniez pas moins. En réalité, même une vie fructueuse perd de son éclat lorsqu'elle ne laisse entrevoir aucune possibilité d'amélioration.

Il est possible qu'ayant atteint un certain niveau de réussite, vous ayez pensé que le sentiment de satisfaction qu'il vous procurait perdurerait. Peut-être ayant jeté un coup d'œil furtif sur ce qu'aurait exigé la démarche suivante avez-vous décidé de faire une pause et vous êtes-vous endormi sur vos lauriers. Seriez-vous devenu captif d'une réussite passée? Quelque chose vous a cependant poussé à lire le présent livre. L'excitation que suscite l'amélioration de soi vous manquerait-elle? Se pourrait-il qu'ayant atteint votre «but» voilà bien longtemps, vous vous ennuyiez maintenant de l'euphorie du défi? Vous voilà prêt à remodeler votre vie à l'image de la réussite. Au travail!

— *Wes Beavis*

Redorez le blason de votre réussite

O n m'a demandé récemment quelle était ma définition de la réussite. Ayant passé bon nombre d'années à viser le succès, dans ce but, j'ai suivi des études supérieures, voyagé de par le monde, épousé une femme ravissante, fondé une merveilleuse famille, été propriétaire franc et quitte de biens immobiliers, de véhicules, de bateaux et de motocyclettes de luxe, entretenu un corps en bonne santé, cultivé des relations amicales à vie et aidé des organismes humanitaires. Ce sont là d'excellentes réalisations qui ne définissent cependant pas la réussite, mais qui en sont le fruit.

J'en viens à la conclusion que le succès, ce n'est pas une réalisation, un état ou une possession précise, mais une direction. Réussir, c'est terminer sa journée en s'étant réalisé mieux que la veille et faire de même le lendemain. Quiconque oriente sa vie selon cette définition ne peut que récolter les merveilleux fruits de la réussite.

Cependant, même les meilleurs fruits d'une réussite bien méritée peuvent perdre leur capacité d'apporter du piquant et de la saveur à notre vie. Même si nous méritons de jouir pleinement de la récolte du moment, celle-ci ne suffira à nous nourrir que le temps d'une saison. Pour conserver la fraîcheur de notre succès, nous devons pousser la culture plus loin. Le succès incite à de nouvelles réalisations.

La perte de terrain

Savoir préparer d'excellents repas est un art. Je dois admettre m'être surtout intéressé au côté consommation de la nourriture jusqu'au jour où je décidai de me lancer dans la préparation des repas. Jamais auparavant nous n'avions possédé de barbecue. Comme nous étions en plein été, je crus bon d'en acheter un pour mettre à l'essai mes talents culinaires. Bien que n'ayant jamais montré le moindre intérêt pour les choses de la cuisine, j'arrêtai mon choix sur un barbecue de pas moins de six cents dollars américains... une décision on ne peut plus masculine ! Ma femme Ellie qui a une patience d'ange me fit remarquer que si l'idée était venue d'elle, j'aurais fini par la convaincre que la cuisinière suffisait amplement, quitte à ouvrir les fenêtres ! Ne voulant cependant pas saper mon nouvel enthousiasme, elle n'insista pas.

> *Réussir, c'est terminer sa journée en s'étant réalisé mieux que la veille et faire de même le lendemain.*

Je me rendis donc à la place du marché où se trouvait un magasin spécialisé en ce genre d'appareils faisant partie d'une chaîne multinationale. Il y avait là une bonne sélection de types et de modèles. Après avoir étudié les différentes possibilités, je fis mon choix. M'adressant au vendeur, je lui demandai s'il pouvait me faire un meilleur prix car j'ai appris par expérience que qui n'essaie rien n'a rien. Malheureusement, ce dernier me répondit que c'était impossible, tous les prix étant fixés d'avance au siège social. Je payai donc le plein prix plus un supplément destiné à couvrir les frais d'assemblage du barbecue dont je devais prendre livraison le jour suivant.

Le lendemain après-midi, je me présentai donc au magasin. Ayant montré ma preuve d'achat au commis posté à l'avant, je demandai à voir mon appareil dûment monté. Il me semblait prudent, avant d'avancer ma camionnette jusqu'au quai de chargement, de m'assurer qu'il s'agissait bien du bon modèle. Suivant le commis d'un bout à l'autre de l'entrepôt, je m'aperçus vite que mon barbecue n'y était pas.

La pièce était remplie de boîtes et d'autres articles, mais mon barbecue restait introuvable. Quelques instants plus tard, montrant du doigt une porte fermée, le commis m'annonça : «Oh oui, il est là-dedans.» «Mais ce sont les toilettes!» m'exclamai-je, ayant lu la pancarte. Je crus qu'il plaisantait, mais pas du tout. Il m'expliqua qu'il arrivait souvent, lorsque l'aire d'entreposage était trop en désordre, que l'on entrepose là les appareils une fois assemblés. Ayant tenté d'ouvrir la porte pour s'apercevoir que l'endroit était occupé, il me demanda de bien vouloir patienter. Ce fut une erreur.

En effet, m'étant donc mis à flâner dans le magasin pour faire passer le temps, je pus penser tout à loisir à la situation. Pour quelle raison est-ce que j'achetais un appareil de six cents dollars servant à la préparation des aliments qui avait été entreposé dans des toilettes? Plus j'y pensais, plus l'idée me tracassait. Environ un quart d'heure s'était écoulé, mais personne n'était encore sorti des toilettes où mon barbecue se trouvait en otage. Retournant voir le commis du magasin, je lui fis part de mes inquiétudes.

Celui-ci tourna mes propos en plaisanterie comme s'il s'agissait d'une broutille. Cependant, dans mon esprit à moi, la chose prenait bien plus d'importance qu'il ne pouvait l'imaginer. D'autres vendeurs vinrent prendre part à l'action, le magasin étant par ailleurs tranquille à ce moment-là. Finalement, n'étant arrivé à rien avec l'équipe des ventes, je formulai la question primordiale, à savoir si je pouvais m'entretenir avec le gérant. Bégayant quelque peu, le commis me répondit qu'il n'était pas là. Je lui demandai pourquoi, ce à quoi il me répondit : « C'est lui qui est dans les toilettes ! »

Lorsque le gérant fit enfin son apparition, je lui fis part de mon embarras : enfant, j'avais appris à ne jamais emmener de nourriture ou de boisson dans la salle de bain. Comment pourrais-je préparer des repas sur un barbecue qui avait été entreposé dans des toilettes ? Fort du succès et de la réputation de sa compagnie, le gérant, impassible devant mon angoisse, tenta de me convaincre que j'avais tort de raisonner ainsi. Sans mot dire, je sortis de mon portefeuille ma carte de crédit et la posai sur le comptoir. Mon interlocuteur comprit tout de suite où je voulais en venir : je souhaitais être remboursé.

> *Pour quelle raison est-ce que j'achetais un appareil de six cents dollars servant à la préparation des aliments qui avait été entreposé dans des toilettes ?*

Donnant alors à son personnel de vente un excellent exemple, il changea son fusil d'épaule et m'offrit, en se confondant en excuses, le modèle de la salle d'exposition à un prix extrêmement réduit. Ce faisant, il me gardait comme client et rendait l'image de marque à son magasin auquel pendant quelques instants, il avait fait perdre l'avantage et qu'il avait fait sombrer dans la médiocrité. Pour quelques instants, il lui avait fait perdre son image de succès.

Marche avant

Bill Gates, président et directeur général de Microsoft, dit un jour que l'obstacle le plus difficile à surmonter, c'est son premier succès. Quiconque a réussi à atteindre un certain niveau de confort sera d'accord avec cette affirmation. S'il est déjà difficile de passer de l'obscurité du rez-de-chaussée à la réussite, il l'est plus encore de passer d'un succès à un autre plus éclatant.

Il est tout à fait possible que vous soyez en manque de succès, que vous plafonniez, que vous soyez embourbé, prisonnier de la gloire liée à une réalisation passée. C'est là une position vulnérable. Tout comme le gérant du magasin de barbecues, vous pouvez être aveuglé par votre succès au point de ne pas voir que vous perdez votre avantage et de ce fait, du terrain.

> *« Un homme sans avenir se rabat immanquablement sur son passé. »*
> (traduction libre)
> *— A.R. Bernard*

Il est rare que l'on perde son avantage par choix. Faire marche arrière n'est jamais intentionnel, mais bien le résultat de l'absence d'un objectif. Les autorités pénitentiaires usent d'une stratégie précise pour reprendre les prisonniers échappés de prisons à sécurité maximale. En effet, elles savent que ces derniers ont tendance à regagner leurs anciens refuges et à renouer avec leurs anciens contacts. Par conséquent, tout en suivant les traces du fugitif, la police surveille tous les endroits et les personnes que ce dernier fréquentait avant son incarcération. A.R. Bernard résume ainsi cette tendance de la nature humaine : « Un homme sans avenir se rabat immanquablement sur son passé. » (traduction libre).

Les personnes et les requins ont une chose en commun : le besoin d'aller de l'avant. Avancer est pour ces derniers le seul moyen de tirer l'oxygène vital de leur environnement. Dans le cas des humains, c'est ce qui les empêche de succomber à l'état de marasme qui mine la vie. Ayant étudié les caractéristiques du succès d'un point de vue scientifique, le Dr David Niven tire la conclusion suivante, à savoir qu'il faut toujours aller de l'avant pour assurer la survie de ses rêves, qu'il n'est pas nécessaire de tout faire aujourd'hui même, mais de faire quelque chose chaque jour. Les personnes qui n'ont pas l'impression d'aller au-devant de leurs objectifs sont cinq fois plus susceptibles que les autres de baisser les bras et trois fois moins d'être satisfaites de leur vie.

De tous les obstacles responsables de notre plafonnement, notre succès passé peut s'avérer le pire. Il agit à notre insu et voici comment. Cherchant à nous élever à une meilleure place dans la vie que celle de rez-de-chaussée, nous y allons de toutes nos forces et de tout notre labeur. Puis, ayant atteint notre but, à juste titre épuisés, nous nous arrêtons là. Et c'est ainsi que nous stagnons en permanence à un niveau où nous n'avions l'intention de ne nous arrêter que temporairement pour nous ressourcer avant de repartir. À moins d'être stimulés par une nouvelle vision de notre avenir, nous finissons par nous reposer sur nos lauriers, laissant passer de nouvelles occasions d'élargir nos horizons.

Aucun succès présent ne vaut le sacrifice de la joie d'une victoire future. La première chose que vous découvrirez lorsque vous vous lancerez hardiment dans la réalisation d'une ambition, c'est qu'il vous faudra souvent faire marche arrière. Par exemple, si l'on veut améliorer sa situation financière, il faut souvent modifier son mode de vie afin de mettre le cap sur une plus grande prospérité. Il n'est pas rare qu'il faille régresser pour pouvoir progresser. C'est la raison pour laquelle certaines personnes n'arrivent pas à franchir cette perte de terrain. Non disposées à passer par cette étape, elles s'accommodent de ce qu'elles ont et finissent par devoir s'en contenter.

Pourquoi ce phénomène d'un pas en arrière et de deux pas en avant est-il si typique du processus d'amélioration ? Peut-être fait-il partie de la phase de suppression du sentiment d'orgueil requis par l'étape suivante ou sert-il à ménager le butin des personnes disposées à payer le prix. Quelle qu'en soit la raison, nous aurions avantage à suivre le conseil du romancier André Gide : «On ne découvre pas de terre nouvelle sans consentir à perdre de vue, d'abord et longtemps, tout rivage.»

Réussir, c'est aller de l'avant, découvrir des horizons inexplorés et de nouvelles occasions et expériences. Réussir, c'est dire adieu à la place que l'on occupe actuellement et s'acheminer vers une place meilleure. Nous avons été conçus pour évoluer. C'est en grandissant, en nous réalisant et en étendant notre influence positive que nous nous propulsons. C'est ainsi que l'on évite de plafonner. C'est aussi la clé d'une métamorphose réussie.

De tous les obstacles responsables de notre plafonnement, notre succès passé peut s'avérer le pire.

Montez le thermostat de votre système de vision

À près des années en tant que conférencier spécialiste de la motivation, j'en viens à la conclusion suivante : personne ne peut avancer au-delà de la vision qu'il a de sa propre vie. Peu importe votre potentiel, l'image que vous reflétez ou les chances qui s'offrent à vous, si vous n'y croyez pas, jamais vous ne vous réaliserez.

Si quelqu'un ayant une vision des plus éclatantes de votre vie vous la présentait sous forme de chanson ou de poème lors d'un bon repas aux chandelles, montait sur la table du restaurant pour vous exhorter à le croire, réussissait à convaincre Aunt Bessie et le Hallelujah Gospel Choir de venir chanter vos louanges à pleins poumons ou vous le disait simplement avec des fleurs, votre vie ne changerait pas pour autant, à moins que vous n'ayez une vision propre de votre avenir. Une autre personne que vous peut avoir une vision extraordinaire de votre vie, mais cela ne suffit pas. Peu importe qu'un ami croie en votre réussite, si vous ne vous voyez pas vous-même dans une meilleure situation, jamais vous n'y parviendrez. Il est impossible de progresser au-delà de la vision que l'on a de sa propre vie.

> *Il est impossible de progresser au-delà de la vision que l'on a de sa propre vie.*

Ma femme Ellie sait bien que pour travailler à la rédaction de documents, je préfère de beaucoup me rendre en voiture à notre maison dans les montagnes que de rester en ville. L'air et l'atmosphère à quelque deux cents mètres favorisent la concentration. Cependant, il va sans dire que lorsque je m'y rends pendant les mois d'hiver, la première chose que je fais en arrivant c'est d'allumer le chauffage central sans lequel j'aurais les doigts gelés le temps de trouver les bonnes touches sur mon clavier. Je règle donc le thermostat à une température confortable, sachant bien que faute de cela, la température de notre maison dans les montagnes resterait inchangée.

Le même principe s'applique à notre vie. À moins d'élargir notre vision, nous sommes destinés à demeurer tels que nous sommes. Pour améliorer notre qualité de vie, il nous faut commencer par créer dans notre esprit la vision d'une vie meilleure. Notre entourage peut certes nous y aider, mais on finit toujours par s'élever ou au contraire à retomber au niveau du « moi que je vois ». Selon le philosophe William James, la croissance n'a de limite que l'image de soi. Autrement dit, il est impossible de progresser au-delà de la perception que l'on a de soi-même. On ne peut atteindre un objectif que l'on n'a pas imaginé auparavant. S'il est important d'avoir une vision de son avenir, il l'est encore plus d'avoir une image claire de SOI dans l'avenir.

> *Une dynamique sans vision peut en fait vous entraîner dans un état de marasme.*

Le succès crée la dynamique qui est essentielle à la progression. Cependant, la dynamique qui résulte de vos succès passés a ses limites. Si elle n'est pas guidée par une vision, elle peut en fait vous entraîner dans un état de marasme. J'ai vu des personnes prospères repousser des occasions de succès extraordinaires simplement parce qu'elles étaient incapables de s'imaginer dans une situation plus avantageuse. Sans une vision de l'avenir, leur dynamique plafonnait et, par conséquent, leur qualité de vie aussi.

L'image du thermostat du système de chauffage peut aussi s'appliquer à l'amélioration de la qualité de notre vie. Une fois que le thermostat a été réglé à une certaine température, il faut donner au système de chauffage le temps de réchauffer la pièce à la température voulue. De la même façon, il faudra du temps, peut-être même des années, pour que votre vie arrive au niveau de la nouvelle vision que vous en avez. Autrement dit, il faut compter un certain délai entre la création et la réalisation de sa vision. Et que se passe-t-il pendant ce laps de temps ? Une bonne dose de travail ardu !

Lorsqu'ils étaient petits, nos fils aimaient nager dans notre bain à remous extérieur. Cette piscine improvisée fit l'affaire pendant quelques années, jusqu'à ce que les enfants soient devenus trop grands et que nous fassions réaménager notre cour en vue de la construction d'une

> *Certaines personnes ont bien réglé le thermostat de leur vision. Cependant, comme elles le baissent chaque fois qu'elles essuient un échec ou éprouvent un moment de découragement, leur vision de plus en plus réduite finit par concorder avec ce qu'elles ont déjà.*

piscine. Même s'ils s'amusaient bien dans ce spa, Ellie et moi décidâmes d'en faire profiter une autre famille. Ainsi, tandis que je plaçais une annonce à cet effet dans le journal local, j'en profitai pour allonger la liste d'un tapis roulant que, je l'avoue honteusement, nous n'utilisions pas.

Nous ne sommes pas des versions humaines de gnous, toujours en mouvement mais sans destination précise.

La semaine suivante, nous reçûmes quarante appels téléphoniques de personnes intéressées par notre bain à remous, mais personne ne montra un intérêt marqué pour l'appareil d'exercice. J'en vins à la conclusion que les gens ont davantage une vision de relaxation dans un spa que d'efforts physiques sur un tapis roulant. Je pourrais dire que ce dernier leur aurait pourtant certainement fait plus de bien, mais cela aurait été quelque peu hypocrite de ma part, ne pensez-vous pas ?

Il va sans dire que la vision d'une vie meilleure ne suffit pas à vous préparer à un travail acharné. Habituellement, c'est la raison pour laquelle bien des gens préfèrent d'emblée ne pas se lancer dans cette voie. Le temps qui passe entre la création de la vision et sa réalisation est, soyons francs, rempli de défis. Or c'est dans la nature humaine de préférer les excuses aux efforts. C'est pourquoi davantage de gens vivent au niveau de leurs excuses qu'à celui de leur potentiel. L'auteur Eddie Windsor résume bien cette idée lorsqu'il affirme que la difficulté est indissociable des bonnes excuses.

Un manque de vision n'est toutefois pas nécessairement lié à un manque d'éthique du travail. Certaines personnes ont bien réglé le thermostat de leur vision. Cependant, comme elles le baissent chaque fois qu'elles essuient un échec ou éprouvent un moment de découragement, leur vision de plus en plus réduite finit par concorder avec ce qu'elles ont déjà. Vous savez de quoi je parle pour avoir peut-être agi exactement ainsi. La déception que l'on éprouve, lorsque la réalité ne répond que rarement à ses attentes, incite à se demander si l'on a visé trop haut. On s'ajuste donc en ramenant ses rêves à un niveau plus rationnel. C'est comme si, ayant rêvé de fêter votre anniversaire de mariage avec votre femme en l'emmenant passer une semaine à Paris et ayant rencontré plusieurs difficultés en cours de route, vous vous contentiez de l'emmener un après-midi au cinéma !

Vous devez comprendre que le but d'une vision de vie n'est pas de vous décevoir, mais de vous stimuler. Les conseillers en leadership stratégique Warren Bennis et Burt Nanus définissent la vision comme un modèle mental d'un état futur souhaitable et réaliste qui n'existe pas au moment présent. Remarquez bien qu'ils utilisent le mot *réaliste*. En effet, certaines personnes ont une vision irréaliste de leur avenir. Se retrouvant devant un échec, elles concluent qu'elles ne devaient pas être destinées à une vie meilleure. Anesthésiant en quelque sorte leur vif désir de quelque chose de mieux, elles se persuadent de n'avoir besoin de rien de plus qu'une vie normale. Mais ce n'est pas votre cas !

Vous ne vous êtes pas relégué à une vie normale. Bien au contraire, le travail acharné, ça vous connaît. Du fait que vous ayez une vision, vous jouissez déjà d'une vie au-dessus de la moyenne. Cela mérite certes des félicitations, mais il vient un moment dans le parcours de toute personne prospère où celle-ci doit viser encore plus haut et se créer une nouvelle vision : celle d'une situation meilleure que la situation présente.

Nous devons en grande partie une vie à valeur accrue à nos décisions, à ce que nous acceptons ou au contraire refusons. Le fait d'avoir une vision solide nous aide à savoir quand dire oui et quand dire non. Grâce à une vision solide de leur avenir, les personnes prospères risquent moins de saboter leur réussite.

> *L'amélioration est plus souvent attribuable au tapis roulant qu'au spa !*

Récemment, j'ai entendu le pasteur Jentzen Franklin implorer un groupe d'animateurs de résister à la tentation de substituer un esprit complaisant à leur esprit combatif. Il citait comme exemple le roi David qui avait renoncé pendant une saison à sa vie de guerrier pour mener celle d'un civil, tandis que d'autres assumaient son rôle de chef. Cependant, pendant que son armée conquérait de nouveaux territoires, le roi David perdait quelque chose de bien plus cher : son intégrité. La vision d'une vie meilleure est à ce point précieuse à un guerrier. Dans le pire des cas, elle réduit le risque de sabotage par ce dernier de ses succès passés.

Surtout, profitez bien du niveau de confort que vous vous êtes mérité, mais que cela ne vous empêche pas de découvrir votre moi le plus précieux. La vie ne fait que s'améliorer pour les personnes qui en ont une meilleure vision. Nous ne sommes pas des versions humaines de gnous, toujours en mouvement mais sans destination précise. Le meilleur reste à venir. Votre succès présent n'est qu'une fraction de ce qui vous attend. Ne laissez personne ou rien vous porter à croire que vous avez déjà vécu vos meilleurs moments.

Ayant évalué pendant de nombreuses années les exigences et les expériences du succès, j'en suis venu à la simple conclusion suivante : le succès à venir se joue au jour le jour. Et l'amélioration est plus souvent attribuable au tapis roulant qu'au spa. Lorsqu'on a une vision excitante de l'avenir, on trouve l'énergie qu'il faut pour faire autant de tapis roulant que nécessaire.

La vision d'un meilleur avenir requiert un esprit clair capable de faire place à des idées spontanées. L'atmosphère la plus propice à cela, c'est la solitude. Pourtant, trop souvent, c'est là que nous nous prenons au piège. Tout occupés que nous sommes à régner sur nos succès, nos avantages et nos défis présents, nous n'accordons pas à notre esprit l'espace qu'il lui faut pour créer librement.

Accordez-vous le bénéfice d'un temps de qualité dans un environnement inspirant, loin de votre entourage et de vos activités habituelles. Cela étant plus facile à dire qu'à faire, je vous conseille de planifier cette petite retraite. Rendez-vous tout seul quelque part dans le seul but de rêver à ce que vous serez dans l'avenir. Une journée passée à cela n'est certes pas une utilisation frivole de votre temps. Si vous ne pouvez vous permettre qu'une demi-journée, le jeu en vaut quand même la chandelle.

Il est plus facile de monter le thermostat de votre vision si vous vous trouvez dans un environnement propice. Les visions et les idées nouvelles d'un avenir amélioré émanent de moments et d'endroits inspirants. Voilà la première mesure pratique qu'il vous faut adopter afin de remodeler votre vie à l'image du succès.

N'ayez aucune pitié
pour vos émotions

U n jour, alors que je jouais avec mon fils Zack, j'entrevis un aspect inquiétant de ma personnalité. Nous jouions aux *Serpents et échelles*, ce jeu de société qui consiste simplement à lancer les dés afin de faire avancer son pion jusqu'en haut du tableau. Si votre coup de dés vous fait tomber sur un carré qui comporte le bas d'une échelle, vous pouvez remonter d'un coup un tas de rangées, ce qui vous donne de l'avance sur l'autre joueur. Toutefois, si vous tombez sur un carré comportant la tête d'un serpent, vous perdez toute avance fraîchement gagnée puisque que vous redégringolez aussi vite. On pourrait aisément rebaptiser ce jeu *Bienvenue à la vie!*

C'était la première fois que Zack y jouait. Il avançait bien. L'emportant sur son papa grâce à quelques heureux coups de dés et à une ou deux échelles, il s'amusait bien jusqu'au moment où il tomba sur un serpent. Tandis que je plaçais son pion au bas du serpent en question, Zack me jeta un regard perplexe. Lorsqu'il eut enfin compris que cela faisait partie du jeu, il fut atterré. Jusque là, il avait pleinement joui de sa victoire; mais dès lors, rien n'allait plus.

Ce qui avait débuté comme une partie de plaisir devint pour Zack un sujet de tourment. Les sentiments qui avaient intensifié son état d'euphorie, alors que le jeu était en sa faveur, dégénérèrent en des sentiments qui ne faisaient qu'amplifier son désespoir lorsque les choses allaient mal. C'en était inquiétant, non parce que le jeu qui aurait dû l'amuser avait pris une autre tournure, mais parce que je me voyais tellement dans la réaction de mon fils de six ans ! Combien de fois j'avais réagi ainsi aux revers de la vie !

Lors de mes séminaires sur la motivation, je parle de mon amour pour le béton. La raison de mon enthousiasme pour ce matériau, c'est qu'une fois qu'on l'a préparé et appliqué, on peut l'oublier. Lorsque Ellie et moi retînmes les services de constructeurs pour notre première maison, la voie d'accès à la propriété et l'allée menant à la porte avant n'étaient pas incluses dans le contrat. Comme nous étions jeunes et ne jouissions pas d'une grande solvabilité, il nous avait déjà été difficile de trouver l'argent nécessaire à la construction de la maison. La voie d'accès et l'allée étaient donc bien loin de nos priorités et pouvaient attendre.

> *Une personne prospère, autant que n'importe qui, a besoin d'améliorer sa capacité d'être positive.*

Peu de temps après avoir emménagé dans notre nouvelle maison, nous connûmes une saison de pluies torrentielles. Ce déluge transforma le sol argileux de notre cour avant en un bain de boue inimaginable. Nous improvisâmes donc une allée à partir de bois d'œuvre, ce qui fonctionna quelque temps, jusqu'à ce que les planches soient englouties par l'argile gluante. Obligés de répéter ainsi plusieurs fois l'opération, nous ne manquions pas de nous plaindre chaque fois de notre situation financière, responsable du bourbier dans lequel nous nous trouvions.

Quel soulagement lorsque nous pûmes enfin nous permettre une voie d'accès et une allée ! Une fois que le béton fut appliqué et durci, plus jamais la boue ne nous causa de tourment. Malgré les déluges qui suivirent, il demeura immuable, inaltéré par les torrents d'eau qui s'écoulaient tout simplement.

Si seulement nos attitudes et nos émotions étaient aussi stables et fiables que le béton ! Si seulement une fois l'attitude à adopter bien établie dans notre esprit, elle y restait toujours ! Si seulement une fois une émotion surmontée, jamais plus elle ne nous déstabilisait ! La vérité cependant, c'est que les attitudes et les émotions sont comme des planches de bois d'œuvre que l'on empile sur de l'argile gluante. Il faut sans cesse y penser et s'en occuper, faute de quoi elles sont englouties par le bourbier inévitable de la vie.

Les attitudes et les émotions n'épargnent pas les personnes mieux nanties. Si un bon naturel peut élever les personnes prospères à des sommets, celles-ci ne sont pas pour autant à l'épreuve d'un mauvais caractère. Je me suis pour ma part laissé aller à une attitude négative plus souvent que je ne veux l'avouer. J'ai beau avoir atteint un niveau de vie qui ferait le bonheur de bien des gens, il y a quand même des jours où j'adopte une attitude de pauvre type ingrat.

Le fait est que les personnes prospères, autant que n'importe qui, ont besoin d'améliorer leur capacité d'être positives. Elles en ont peut-être même davantage besoin, car ce périple les rend souvent particulièrement cyniques et pessimistes. Elles peuvent être davantage sujettes au chagrin, à la jalousie et à la critique, et douter plus d'elles-mêmes que la plupart des gens. Pour cette raison, elles ont besoin, comme n'importe qui, de remodeler à l'occasion leur attitude.

Le chemin de la maestria

Il existe un chemin qui mène à la maestria. C'est le même que votre objectif, soit d'apprendre à jouer de la guitare ou de construire une entreprise de plusieurs millions de dollars. Il vous sera plus facile de maintenir une attitude positive tout au long du chemin, condition essentielle, si vous comprenez la route à suivre. Mon frère Cameron en a fait le tracé et a donné à son croquis le nom de *Le chemin de la maestria*.

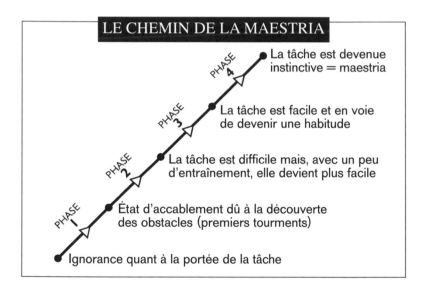

Selon ce croquis, au point de départ, on est ignorant de la portée de sa tâche; cette ignorance est synonyme d'euphorie. La phase 1 représente le passage de cet état d'euphorie à celui d'accablement face à la découverte des obstacles à franchir. De cette phase douloureuse, on passe à la compréhension du fait que même si la tâche est ardue, à force d'entraînement, elle devient plus facile. Dans la phase 4, on poursuit la trajectoire, passant d'un état de difficulté à un niveau de facilité, grâce à la répétition. Finalement, la tâche devient instinctive : on a atteint la maestria. Voilà le chemin à suivre, peu importe ce que l'on veut réaliser. Que vous vous lanciez dans la vente de produits quelconques, dans la création d'un organisme ou dans un programme de conditionnement physique, le chemin de la maestria comporte différentes étapes. Une fois que l'on a saisi les nuances de chacune des phases et les raisons de ses actions, il est plus facile de garder une attitude positive et de gérer ses émotions.

Nous sommes payés pour avoir une attitude positive

J'ai un ami qui est président d'un organisme à but non lucratif valant plusieurs millions de dollars. Dans le but de financer un programme de construction important, il lança une campagne de levée de fonds. Ayant fixé son objectif à huit millions de dollars, il n'en recueillit que six. Une épreuve de perspective s'il en est : dans une telle situation, fête-t-on le fait d'avoir réussi à lever six millions de dollars ou se plaint-on d'être à court de deux millions ?

Six mois plus tard, je posai la question à mon ami. Bien sûr, même s'il avait réussi à accumuler un énorme capital, il avait quand même dû gérer ses ennuis financiers et trouver les deux millions manquants. Il me répondit simplement : «En définitive, nous sommes payés pour avoir une attitude positive.»

On ne gagne rien à se décourager. Personne ne va vous payer pour disséminer votre désespoir et vos méditations négatives. N'ayez aucune pitié pour les émotions qui accompagnent vos déconvenues. Vous n'en tirerez aucun profit.

Ne vous associez pas à un esprit négatif

Le monde est un mélange d'adversité et d'occasions. Parfois les déconvenues l'emportent, entraînant des pensées négatives qui envahissent notre esprit. C'est alors qu'il faut prendre une décision. Est-ce que je m'associe à cet esprit négatif ou est-ce que je le repousse et le combats ? Vous savez comme moi par expérience qu'il est plus facile de s'abandonner aux pensées destructrices. Il suffit de se laisser aller et le reste se fait tout seul. C'est comme un contre-courant. Si l'on s'y abandonne, on est tout de suite emporté par la mer !

Mais comment lutter contre un esprit négatif qui cherche votre collaboration ? En faisant le contraire de ce que vous dictent vos sentiments. Si vous éprouvez l'envie de vous isoler de votre entourage, allez au contraire au-devant de la compagnie de personnes positives. S'il vous vient l'envie de bouder, au lieu de cela mettez-vous à louer et à encourager les autres. Si vous avez l'impression d'avoir échoué, comportez-vous comme une personne qui a réussi. Si vous êtes tenté de vous laisser aller à la dépression, faites tout le contraire de ce que vous dicte ce sentiment.

> *Si vous êtes tenté de vous laisser aller à la dépression, faites tout le contraire de ce que vous dicte ce sentiment.*

Selon Sir Edmund Hillary, le montagnard néo-zélandais qui conquit le mont Everest, la plupart des gens ne sont pas vaincus par l'immensité d'une tâche, mais plutôt par leur propre façon de penser.

Comment faire sa propre évaluation

Lorsque les résultats positifs ne sont pas au rendez-vous, ne faites pas votre évaluation en fonction de vos sentiments, car si vos émotions sont votre meilleur ami lorsque vous avez le vent dans les voiles, elles sont votre pire ennemi en cas de revers. Lorsque vous êtes en proie au découragement, elles vous éloignent de la vérité plutôt que de vous en rapprocher. Selon Elias L. Magoon, notre mérite devrait toujours être déterminé par nos bonnes actions et non par nos émotions.

Lorsqu'on est en proie au découragement, on tend à se comparer aux autres qui justement traversent une période de chance. Nous comparons notre pire « moi » au meilleur des autres, ce qui n'est ni logique, ni juste. Toutefois, lorsque nous sommes guidés par nos émotions, la logique a rarement l'occasion de recalibrer notre esprit troublé.

> *Lorsque vous êtes en proie au découragement, vos émotions vous éloignent de la vérité plutôt que de vous en rapprocher.*

Retourner la situation à son avantage

Sumner Redstone, président de la compagnie Viacom, déclara un jour que les gros succès n'ont pas été réalisés à partir d'exploits passés mais à partir d'échecs, de désastres et de catastrophes, et qu'il s'agit d'apprendre à rétablir la situation à son avantage. La première chose à faire pour renverser une situation affligeante, c'est de prendre en charge ses émotions et de rétablir l'optimisme comme attitude par défaut.

L'avantage n'est pas le lot des personnes soumises à leurs émotions. Restez fidèle aux principes de succès même lorsque vous ne fonctionnez pas à plein régime. Ainsi, vous pourrez reprendre rapidement votre vitesse optimale. En revanche, si vous vous laissez mener par vos émotions, il vous faudra du temps pour reprendre le dessus.

N'ayez aucune pitié pour vos attitudes et vos émotions, et ajustez-les au quotidien. La société excelle dans l'art de s'éterniser sur tout ce qui est négatif et de le propager, phénomène auquel il est presque impossible d'échapper. Les ajustements que vous avez apportés hier à vos attitudes et à vos émotions risquent de ne pas suffire à vous faire passer la journée. Rappelez-vous qu'il est aussi facile de « se dicter et puis d'oublier » des attitudes et des émotions que de vider la mer au moyen d'une petite cuillère. Quels que soient vos succès, votre attitude positive doit constamment être surveillée et rafraîchie.

> *Ainsi, vous pourrez reprendre rapidement votre vitesse optimale.*

L'avantage appartient aux personnes positives. Par conséquent, maîtrisez vos émotions.

Armez-vous d'un esprit plus fort

L e capitaine Kyle Kerekffy est un pilote d'avion à réaction privé et un ami. Un jour, Kyle eut l'occasion de nous conduire, quelques associés et moi, jusqu'en Utah. Nous faisions ce voyage dans le but d'examiner une propriété de notre entreprise qui avait été endommagée par une tempête. Nous passâmes donc la journée à évaluer les dommages et à lancer les travaux de réparation. Remontés à bord pour retourner en Californie, nous étions tout à fait satisfaits de notre journée. Tandis que nous glissions dans l'atmosphère, je me réjouissais de l'absence de turbulence. Ayant eu l'occasion de voyager dans des aéronefs de toutes sortes, j'en suis venu à la conclusion que plus ils sont petits, plus on ressent les effets d'une turbulence. Le Boeing 747, par exemple, est plutôt stable même s'il lui arrive d'enregistrer quelques secousses, tandis qu'un aéronef de petite taille peut au contraire être secoué en permanence et n'accorder à ses passagers que quelques rares périodes de stabilité.

Jusque là, notre vol avait été paisible ; mais avant d'arriver à destination, il nous restait à survoler les montagnes de San Bernardino. Je sais par expérience que qui dit chaînes de montagnes dit configurations des vents imprévisibles et courants ascendants. Quelques-uns de mes amis qui ont survolé les sommets de Papouasie-Nouvelle-Guinée peuvent témoigner du caractère traître de ces derniers. Pour avoir perdu l'un de mes camarades en des circonstances similaires, j'étais très conscient de ce qui se passe lorsqu'un avion de petite taille survole des montagnes. La turbulence était inévitable, mais je m'y étais préparé mentalement.

Alors que nous planions au-dessus des pics, je me mis à penser que cette préparation mentale avait été inutile. La turbulence n'était que faible et seules quelques secousses se faisaient parfois sentir. Tout en confiance, parlant assez fort pour me faire entendre de mes partenaires, je lançai en plaisantant aux dieux du vent : « Alors, c'est tout ce dont vous êtes capables ? » Eh bien, par ces paroles irrespectueuses, je dus sérieusement les fâcher car dès lors, notre vol ressembla davantage à un tour de montagnes russes.

> *Dès lors, notre vol ressembla davantage à un tour de montagnes russes.*

Jamais je n'avais fait l'expérience de turbulences d'une telle ampleur. Pendant les quarante minutes qui suivirent, nous fûmes brassés, lâchés et secoués sans relâche, et ce, malgré nos prières. Pour empirer les choses, la tour de contrôle nous ordonna de retarder notre descente. Dans le but d'accommoder le régime du vent et les trajectoires de vol des plus grands aéronefs, on nous dirigea dans toutes les directions. Nous avions l'impression que les agents de la tour de contrôle nous disaient : « Restez là-haut. Nous vous appellerons pour le dîner. » Inutile de vous dire que je récitais cette fameuse prière, à savoir « Mon Dieu, si jamais je m'en sors, je vous promets… » !

Nous finîmes par atterrir. Qui embrasser en premier lieu, le sol ou le pilote ? Nous ayant aidé à sortir notre équipement de l'avion, le capitaine Kyle nous serra la main et reprit les commandes de son appareil. Ayant obtenu la permission de décoller, il s'envola vers la même atmosphère chargée de turbulences que nous venions de quitter. En regardant Kyle piloter son avion en direction de San Diego où il demeurait, je me mis à réfléchir à son comportement. Tout paraissait simple avec lui. C'était le calme personnifié, un esprit plein d'assurance malgré les conditions défavorables, un véritable John Wayne de l'aviation. Je me rappelle m'être demandé d'où il tirait sa force et au même instant, debout au milieu du terrain d'aviation, d'avoir trouvé la réponse : de l'habitude des turbulences.

> *C'était le calme personnifié, un esprit plein d'assurance malgré les conditions défavorables, un véritable John Wayne de l'aviation.*

Il n'y a aucun doute que pour arriver là où vous en êtes, vous avez connu des périodes de turbulences. Le fait de persévérer dans l'atteinte de votre objectif, malgré les incertitudes et les défis, vous a armé d'un esprit fort. Cependant, cette force et cette détermination doivent être renouvelées si vous voulez continuer à progresser. Tout avancement personnel nécessite la poursuite d'un esprit plus fort. La force d'âme à laquelle vous devez votre situation actuelle peut suffire à vous propulser dans votre prochaine mise au point, mais sera vite poussée au-delà de ses limites. Il vous faudra alors un esprit plus fort.

> *Tout avancement personnel nécessite la poursuite d'un esprit plus fort.*

Comment acquérir un esprit plus fort? Voici quelques points que vous saurez développer.

1) Frayez-vous un chemin parmi les turbulences

Le chemin qui mène à l'avancement est ardu. Vous entendrez rarement dire cela dans notre culture plutôt portée sur la devise «Nous vous rendons la vie facile». Améliorer sa vie requiert des efforts, quel que soit son niveau de réussite. Si quelqu'un cherche à vous assurer du contraire, baissez les yeux. Il y a de fortes chances pour qu'il ait la main dans votre poche. Jamais personne ayant la vitalité de votre avenir à cœur ne tentera de vous convaincre qu'il est facile de progresser dans la vie. Bien trop de gens croient monsieur tout-fou selon qui le succès est faciiiiile! Ils jettent ensuite l'éponge dès que se présente forcément la première difficulté. Et on les voit renoncer à aller de l'avant parce que cela requiert plus d'efforts qu'on ne leur avait laissé supposer.

Certains de nos traits de caractère et de raisonnement sont défectueux et n'ont pas leur place dans notre avenir amélioré.

Le meilleur des messages, qu'il s'adresse à nous ou aux autres, communique la vérité sur l'avancement: «Mesdames et messieurs, je suis votre commandant de bord. Au cours du vol que nous allons entreprendre, nous allons croiser quelques zones de turbulences. Ce sera un moment désagréable à passer, mais notre destination en vaut bien la chandelle.» Après des années consacrées à aider les gens à améliorer leur vie, j'en suis venu à la conclusion que l'honnêteté positive est la ligne de conduite la plus productive.

N'importe quel avancement personnel requiert un passage par la «zone de turbulences». Cette étape difficile est reconnaissable à diverses manifestations : les choses ne se passent pas comme on l'avait imaginé; on découvre qu'il faudra compter plus de temps que prévu ; on a conscience de son insuccès et ses émotions en prennent un coup; on s'aperçoit que l'on est moins bien préparé qu'on ne le pensait et l'ignorance outrecuidante dont on faisait preuve se transforme en humble incertitude. C'est dans la zone de turbulences que la réalité et la déception vous purgent de votre fierté et de votre orgueil démesuré.

Tout cela n'est pas très encourageant, me direz-vous. C'est clair: si vous cherchez une partie de plaisir, ce n'est pas dans la zone de turbulences que vous la trouverez. Toutefois, les personnes qui continuent leur poursuite d'une meilleure place au soleil finissent par trouver la paix parmi les secousses. Elles savent que le fait de passer à travers la zone de turbulences leur fait pousser de plus grandes ailes et leur assure un esprit plus fort. Quiconque, au lieu de reculer devant la turbulence, réussit à s'y frayer un chemin, en tire d'admirables bienfaits. Préparez-vous à braver les zones de turbulences. C'est là un ingrédient clé de l'image de la réussite.

> *«À force de répéter les mêmes bons gestes, vous finirez par réussir.»* (traduction libre) — *Marguerite Reeve*

2) Consentez à passer au moulin à grain

Si vous avez de l'ambition, vous passerez inévitablement au moulin à grain. Le processus d'avancement vous saisira pour vous laisser tomber comme du vulgaire grain dans le moulin de la vie où vous serez râpé et moulu. Le degré et le temps de mouture varient d'une personne à une autre, mais je peux vous assurer que personne ne passe par ce processus sans y laisser une part de lui-même. Pourquoi ? Parce que certains de nos traits de caractère et de raisonnement sont défectueux et n'ont pas leur place dans notre avenir amélioré. Si nous les y laissions, ils ne manqueraient pas de saboter tout progrès.

Passer au moulin à grain n'a rien d'une partie de plaisir. C'est d'ailleurs une situation que la plupart des gens évitent. On peut comprendre qu'ils courent se cacher. Qui, volontairement, se soumettrait à un traitement qui menace son confort ? S'il paraît raisonnable de penser ainsi dans un premier temps, il convient de se rappeler que le succès n'est jamais le fruit d'un état de confort. Le succès est l'aboutissement d'un avancement et d'une évolution sur le plan personnel que l'on s'est mérité pour avoir survécu au processus de mouture. Quiconque sacrifie volontairement son confort du moment le fait parce qu'il a la vision d'avantages à venir.

Si vous passez au moulin à grain et y demeurez assez longtemps, vous verrez émerger une qualité plus fine de vous-même. Une évaluation de votre «moi amélioré» vous fera voir que, quoique difficile à supporter, le processus de mouture a fait de vous une meilleure personne qu'avant. Cette nouvelle version de vous vous plaira. En fait, vous vous demanderez comment vous avez pu vous contenter de vivre votre vie en tant que version «pré-tamisée».

> *À force de constance, vous vous mériterez une meilleure place au soleil.*

3) Répétez les bons gestes de façon suivie

Quiconque a déjà eu l'occasion de faire une longue route avec des enfants assis dans le siège arrière de la voiture ne reconnaîtra que trop bien la question : « Est-ce qu'on est bientôt arrivé ? » Dans le même état d'esprit, les adultes se tourmentent en ce qui a trait à leurs objectifs, à leurs mariages et à leurs affaires en se disant qu'ils devraient pourtant être arrivés à destination. Si les échéances que l'on impose à ses objectifs peuvent aider à surmonter la procrastination, trop de gens sont obnubilés par l'idée d'arriver plus vite à la réussite.

Soyez conscient du fait que si la vision d'une vie meilleure peut se manifester très vite, sa réalisation nécessite beaucoup plus de temps que vous ne le pensez. Les aiguilles de l'horloge du succès tournent au ralenti. On peut certes essayer de les faire tourner plus vite. Cependant, le plus souvent, on est obligé de se conformer à leur vitesse. En s'attendant à progresser bien plus lentement que prévu, on s'évite une angoisse inutile. Pour réussir, il faut souvent être poussé au bout de ses forces. Cela fait partie du processus de renforcement de notre esprit. En effet, le désespoir fait place à un début de sagesse dans tous les domaines où nous sommes confrontés à des défis.

Soyez ambitieux. Cherchez à vous améliorer un peu chaque jour. Mettez en application les paroles de John C. Maxwell selon qui si l'on s'adonne à quelque activité une heure par jour, au bout de cinq ans, on est devenu expert en la matière ou celles de Marguerite Reeve, épouse et partenaire du Dr Jim Reeve, selon qui à force de répéter les mêmes bons gestes, on finit par réussir.

Bien des gens accomplissent les mêmes bons gestes, mais pas pendant assez longtemps. Ils finissent par baisser les bras parce qu'ils se comparent à d'autres personnes qui ont connu une réussite plus rapide. Notre raisonnement est le suivant : si une personne a préparé un gâteau en un temps donné, je devrais pouvoir en faire autant. Nous essayons donc d'accélérer le processus de cuisson en montant la température du four, sans tenir compte du fait que nous travaillons tous à partir de différents ingrédients.

Chacun progresse à sa propre vitesse. Sachez rester maître de votre rythme. En espérant arriver rapidement à destination, bien des gens sautent d'un objectif à un autre, ce qui a souvent l'effet contraire. Au lieu de percer rapidement, ils ralentissent le processus. Pour synchroniser sa réussite dans les temps voulus, il faut garder sa voie et y rester jusqu'à l'obtention des résultats désirés. À force de constance, vous vous mériterez une meilleure place au soleil.

4) Maintenez votre position de combat

S'étant fait demander s'il lui arrivait de céder ses actions, le magnat de l'investissement Warren Buffett répondit la chose suivante : « C'est rarement le cas mais lorsque cela arrive, c'est que la situation est irrémédiable. »

La transition vers une meilleure place au soleil ne manquera pas de vous fatiguer. En effet, ce processus est épuisant et l'on ne peut être blâmé pour souhaiter quelque répit. Toutefois, trop de gens en quête d'une petite pause abandonnent la partie. Ce qui finit par se produire, c'est qu'ayant retrouvé leur énergie, ils ont perdu leur place sur la route de la réussite et leur dynamique. Si vous tombez en panne, demandez-vous si la situation est irrémédiable. Si c'est le cas, même un Warren Buffet ne s'acharne pas. Comme le dit d'ailleurs l'un de mes amis : « Si ton cheval est mort, descends de ta monture. »

La plupart du temps cependant, la situation n'est pas irrémédiable. Il arrive souvent que l'on tombe en panne, pas parce que c'est le cas mais parce que nous sommes épuisés, à court d'inspiration ou que nous nous ennuyons. Pour le bien de votre réussite, ne laissez pas la fatigue, l'ennui ou quelque autre obstacle remédiable vous faire quitter la route pouvant mener vers une récompense.

Lorsqu'on se trouve dans une situation difficile, il suffit de garder son aplomb. Si l'on agit ainsi au lieu de baisser les bras, le territoire que l'on occupe avec bravoure devient une plateforme de force et de puissance.

> *Si vous tombez en panne sur la route de la réussite, demandez-vous si la situation est irrémédiable.*

Il y a des années, les Weebles étaient très populaires parmi les petits. Ces jouets avaient pour slogan : « Les Weebles dodelinent sans jamais tomber ! » L'avancement personnel fait parfois vaciller, mais c'est la nature du processus. Prenez la décision de maintenir votre position de combat. Parfois et même souvent, la situation vous semblera désespérée ; mais si vous gardez votre aplomb, vous serez prêt lorsque la situation tournera en votre faveur. En règle générale, un cochon, ça ne vole pas, mais lorsque des vents légers se transforment en ouragan, même les cochons peuvent s'envoler.

Ne passez pas votre vie à la poursuite de conditions favorables. Le meilleur moyen de réussir, c'est de choisir son champ d'action en dépit des embûches du moment et de le cultiver. En agissant ainsi, vous serez prêt lorsque les conditions changeront à votre avantage.

Ne passez pas votre vie à la poursuite de conditions favorables

Quelqu'un a dit un jour que lorsqu'on tombe sur une épine en cours d'escalade, il faut se rappeler que quelque part là-haut se trouve une rose. Les personnes dotées d'un esprit fort regardent toujours en direction de la rose. Elles savent qu'une fois qu'elles auront fait leur chemin jusqu'à elle, elles seront en mesure d'y mener d'autres.

Il arrivera des moments où votre esprit se languira et où une épidémie de défaites se propagera dans votre camp. Je me suis écrit une lettre que je lis en ces occasions. Ces mots risquent fort de vous être aussi utiles.

Ne baissez pas les bras

(Lettre adressée aux personnes découragées)

Cher ami,

Si tu es au point où tu es fatigué de lutter ; si tes défaites l'emportent sur tes succès et que malgré de gros efforts, tu ne progresses pas de façon appréciable ; si tu es depuis si longtemps las que tu as oublié le sentiment d'être reposé ; si ta progression est plus lente que tu ne l'aurais jamais imaginé ; si tu as l'impression que les autres autour de toi connaissent un succès que tu leur envies…

Certes, tu es bien conscient du fait que le chemin de la gloire est étroit et oui, tu comprends bien que cette route est sinueuse mais ces derniers temps, elle est devenue si tortueuse que tu te demandes si tu ne tournes pas en rond. Tu as été battu, terrassé et tu as reçu des coups de pieds ; tu penses t'être mérité ce traitement parce que tu n'es pas à la hauteur et tu espères simplement pouvoir dissimuler ton découragement sous un visage courageux. À plus d'une occasion, tu t'es demandé si le jeu en valait la chandelle. Aussi, tu ne comptes plus les fois où tu as pensé abdiquer.

Eh bien, on m'a chargé de te dire que si ton objectif est d'être un père pas juste convenable mais formidable ou une mère qui encourage ses enfants et leur enseigne à faire de belles choses dans la vie ; si tu aspires à être un mari exemplaire, plein d'amour et de courage, ou une épouse qui par sa grâce et sa contenance fait ressortir le meilleur des autres ; si ton objectif est d'être un parent qui apporte paix et sécurité au foyer ou qui transmet un héritage de foi et de prospérité aux générations à venir ; si tu cherches à être un frère ou une sœur sur qui l'on peut compter ; si ton but est de devenir quelqu'un qui sait vaincre ses peurs, ses échecs et ses autocritiques et qui ne se laisse pas abattre lorsque ses tentatives de contributions positives à la vie d'autrui échouent…

Si ton objectif est d'aller au bout de ta mission, de rester loyal envers ce qui est juste, de devenir un chef qui encourage les autres à faire de même ; si ton but est de te retrouver un jour devant Dieu et de l'entendre dire : « Bravo, bon et loyal serviteur », alors lève les yeux, remets-toi d'aplomb, prends ton courage à deux mains ; mais surtout n'abdique pas. Les meilleures choses de la vie sont le lot de CEUX QUI NE BAISSENT PAS LES BRAS.

Je te prie d'accepter, cher ami, l'expression de mes sentiments distingués.

Wes Beavis

Aidez les autres sans éprouver de frustration

L'une des clés essentielles à votre image de réussite, c'est la volonté d'aider autrui. Dans ce monde où les besoins sont nombreux, on pourrait croire qu'il est simple d'aider les autres, mais c'est plutôt le contraire. Lorsque des personnes sont en cause, les difficultés prennent de l'ampleur et la tâche devient difficile et frustrante. C'est d'ailleurs la raison pour laquelle les gens sont nombreux à préférer aider les animaux ou les forêts tropicales.

Mon fils David, qui est âgé de douze ans, est passionné de basketball. Hier, en réussissant à faire tourner son ballon sur son doigt pendant vingt-deux minutes sans interrumption, il a battu son record personnel. Je l'encourage bien sûr, mais l'idée d'un tel exercice n'est pas de moi. C'est lui qui a simplement décidé de développer ce talent. Ayant eu l'étincelle, il a décidé d'en faire un feu de joie.

Un jour, voilà environ trois ans, ayant regardé une partie du National Basketball Association, transporté, David me demanda si nous pouvions aller jouer sur un « vrai » terrain de basket, entendant par là un terrain complet par opposition au demi terrain de notre cour arrière. Ellie et moi emmenâmes donc nos deux fils au parc du quartier.

Une fois là, nous vîmes que l'autre bout du terrain était déjà occupé par un groupe de joueurs bien musclés qui prenaient leur partie très au sérieux. Jouant énergiquement, ils transpiraient comme des chevaux au grand galop. Me tournant vers David, je vis qu'il était déçu. De toute évidence, ses plans allaient tomber à l'eau. Pour le remonter, je lui dis que tout n'était pas perdu et que c'était là une excellente occasion de regarder ces bons joueurs et d'apprendre leur technique. Je lui conseillai d'observer leur jeu afin de pouvoir imiter leur style. Eh oui, mon fils avait la chance d'avoir un père d'une grande sagesse. Un père capable de transformer n'importe quelle déception en occasion. Un père qui était aussi sur le point de passer pour un idiot.

> *Aider les autres n'est pas chose facile. C'est d'ailleurs la raison pour laquelle les gens sont nombreux à préférer aider les animaux ou les forêts tropicales.*

Je n'avais pas sitôt terminé ma phrase qu'une bagarre sanglante éclata parmi les joueurs dont deux d'entre eux, se roulant au sol, se mirent à se rouer de coups. Ils mettaient dans leur combat la même intensité qu'ils avaient mise plus tôt dans leur jeu. Le sang coulait et ce n'était pas joli à voir. Debout sur le terrain, mes fils regardaient la scène. «Vraiment génial» me dis-je, hanté par les conseils que je venais de leur prodiguer : «Regardez-les bien pour pouvoir faire comme eux!» Il fallait faire quelque chose.

Oubliant toute ma sagesse, je m'élançai entre les deux adversaires et sans trop savoir comment, réussis à les remettre sur pied. L'esprit préoccupé par d'autres pensées à ce moment précis, je me demandai comment faire pour qu'ils n'aient plus envie de s'entretuer. Optant pour une tactique psychologique de diversion, je me présentai à eux. «Salut les gars, leur dis-je, je m'appelle Wes, et vous?»

Cela sembla fonctionner. Le type à ma droite (imaginez-moi coincé entre les deux) me répondit qu'il s'appelait Mike. Celui qui se trouvait à ma gauche était en train de me dire qu'il s'appelait Sam lorsque, profitant du fait qu'il était distrait, Mike serra le poing dans l'intention de lui asséner un coup en plein visage. Sentant quelque agitation, je me retournai vers Mike juste à temps pour recevoir le coup terrible destiné à Sam. Et je m'écroulai devant ma famille, devant mes fils! On ne peut qu'imaginer la leçon que ces derniers tirèrent de cette situation. Leur papa était-il un artisan de la paix ou un idiot? Une chose est sûre, c'est que je me retrouvai par terre sans avoir réglé quoi que ce soit entre Mike et Sam. Je reviendrai plus tard à cette anecdote, c'est promis!

La réussite, c'est comme les bons mets. L'expérience est si agréable que l'on veut en faire profiter les autres et que l'on clame haut et fort: «C'est vraiment délicieux. Vous devriez l'essayer!» Ainsi, lorsque l'occasion se présente, on encourage les gens à cuisiner leur propre plat de succès. On est même disposé à partager avec eux une recette ou deux mais avant longtemps, on s'aperçoit que cette pensée noble rend vulnérable aux blessures. Ce que je souhaitais à Mike et Sam c'était la paix, une bonne relation et oserais-je dire un amour fraternel! Ma noble intention ne me valut cependant qu'un coup de poing sur le nez.

Une des premières leçons que tirent les personnes prospères c'est que d'apporter son aide aux autres, cela fait mal.

Maintenant, cela étant dit, on se pose la question évidente, à savoir : Pourquoi se donner la peine d'aider les autres si l'on s'en sort blessé ? C'est une bonne question que vous vous poserez chaque fois que vous pâtirez de votre volonté de venir en aide à autrui. C'est une bonne question à laquelle il vous faut trouver une bonne réponse. Laissez-moi vous expliquer pourquoi, malgré les risques d'une telle démarche, Ellie et moi avons choisi d'aider les autres.

Lorsque nous nous sommes mariés, Ellie venait tout juste d'avoir vingt ans. J'en avais vingt-deux. Tous deux étions sur le point de terminer nos études universitaires. Nous ne possédions ni l'un ni l'autre de fortune. Pendant les quinze ans qui suivirent, nous appliquâmes avec diligence les principes d'une vie sage, entretenant la vision d'une vie libre de toute dette. Ayant élaboré et suivi à la lettre notre plan financier, nous atteignîmes notre objectif. Et c'est ainsi que déjà dans la trentaine avancée, nous aurions pu prendre notre retraite. Certes, il nous aurait fallu vivre dans un quartier moins onéreux que celui de Beverly Hills, mais nous aurions pu cesser de travailler et vivre de nos revenus de placement.

D'une certaine façon, nous étions parvenus au sommet d'une montagne. Nous avions conquis la façon de gérer et de régler nos frais de subsistance quotidiens. Nous aurions pu vivre de façon durable de nos investissements. Nous pouvions dorénavant choisir comment employer notre temps. Nous n'avions plus besoin de travailler. Nous aurions pu nous installer au sommet de cette montagne.

Cependant, ayant savouré notre victoire pendant quelque temps, Ellie et moi sentîmes venir une nouvelle vision. L'euphorie d'être ainsi arrivés au sommet de la montagne était certes agréable, mais nous eûmes l'idée folle d'en redescendre pour aider les autres à y accéder à leur tour. L'ayant déjà fait, nous connaissions le chemin. Nous décidâmes donc de servir de guides aux personnes désireuses de goûter à la victoire. C'est ainsi que nous créâmes Destiny People en 2001.

> *Ma noble intention ne me valut qu'un coup de poing sur le nez.*

Notre vision était simple. Elle se résumait ainsi : *Aider les gens à connaître le succès sur les plans spirituel, familial, relationnel, physique et financier.* Nous étions convaincus que s'ils connaissaient la victoire dans tous ces domaines, ils jouiraient d'une vie plus pleine. D'ailleurs, qu'y a-t-il à redire sur un tel objectif ? Comment ne pas être conquis par l'idée d'être guidé dans ce sens ?

Si nous ne nous étions pas lancés dans cette voie de Destiny People, nous aurions laissé passer la meilleure expérience de croissance de notre vie. Depuis le début de cette démarche, la vie des personnes que nous aidons à gravir la montagne a progressé de façon remarquable. Il nous aura fallu plus de temps que prévu pour maîtriser l'alpinisme en groupe, mais le jeu en aura valu la chandelle. Et malgré les défauts des guides que nous sommes, l'escalade s'est avérée extrêmement avantageuse pour bien des gens.

Avons-nous été blessés par certaines personnes en cours de route ? Il n'y a aucun doute. Quelqu'un est-il à blâmer ? Absolument pas ! En fait, bien souvent, nous méritions d'être blessés car notre façon de penser était carrément stupide. D'autres fois, c'est notre naïveté face à la réaction que peuvent avoir certaines personnes qui nous a valu d'être frustrés.

En définitive, nous nous sommes blessés nous-mêmes du fait des attentes démesurées que nous avions à l'égard des gens.

Si le fait d'aider les autres peut causer de la souffrance, il ne faut pas pour autant renoncer à son désir de leur venir en aide. Il faut comprendre la dynamique de l'interaction. En devenant moins naïf, on développe sa capacité d'aider les autres sans subir de frustration.

Soyez en paix avec vos propres défauts

La première étape à franchir avant d'aider les autres, c'est de se réconcilier avec ses propres défauts. Si vous n'êtes pas en paix avec vos imperfections, vous prendrez à partie celles de tous ceux qui vous entourent et serez enclin à la critique. Il arrive que ce soit justement notre réussite qui nous empêche d'aider les autres. En effet, nos grands succès peuvent nous porter à être prompts à critiquer les personnes qui ne réalisent pas leur plein potentiel.

> *Si vous n'êtes pas en paix avec vos propres imperfections, vous prendrez à partie celles de tous ceux qui vous entourent.*

Bien des gens qui ont la chance de connaître le succès ont saboté leur influence positive. Ils agissent tellement en fonction de leur réussite qu'ils oublient leurs propres défauts et leur propre vulnérabilité.

La vérité en ce qui nous concerne tous, c'est que la peinture n'est jamais tout à fait sèche. En effet, nous sommes tous des œuvres en cours. Les personnes prospères se doivent de reconnaître ce fait plus encore que celles qui vivent une vie précaire. C'est ainsi que l'on se débarrasse de son arrogance pour faire place à la compassion, source de vie, et que l'on peut aider les autres à atteindre le succès.

À chacun son altitude

Certaines personnes préfèrent voler juste assez haut pour ne pas frôler le bord du trottoir. Pourquoi ? Parce qu'elles se trouvent bien à cette altitude. Lorsqu'elles regardent en direction du ciel, elles ne se voient pas là-haut. Selon le Dr David Niven, les personnes qui se laissent simplement vivre agissent ainsi parce qu'elles ne voient pas l'avantage à long terme du travail sur celui à court terme de la paresse. Il faut bien le dire, si s'envoler très haut apporte bien plus de satisfaction, cela requiert aussi bien plus d'effort que de voler à basse altitude. Tout le monde a cependant le droit de choisir de voler en deçà de son potentiel.

Notre rôle est d'aider les gens à avoir une vision de réussite, ce que nous faisons en partageant les joies d'une vie à haute altitude. Toujours est-il qu'on ne peut forcer personne à progresser. Selon Marilyn Ferguson, auteure du livre intitulé *The Aquarian Conspiracy*, nul ne peut convaincre une autre personne de changer. Chacun d'entre nous est la sentinelle d'une barrière qui ne s'ouvre que de l'intérieur et qui lui est propre, et nul ne peut forcer la barrière d'un autre, que ce soit par des arguments ou par des sentiments.

> *Notre rôle est d'aider les gens à avoir une vision de réussite. Toujours est-il qu'on ne peut forcer personne à progresser.*

Chacun choisit sa propre altitude. Si vous avez la vie de quelqu'un plus à cœur qu'il ne l'a lui-même, vous courez tout droit vers des maux de tête et des déceptions. Il est certes légitime de souhaiter une meilleure vie à quelqu'un, mais ne vous tourmentez pas outre mesure ou l'on vous fera tourner en bourrique.

Certaines personnes ont besoin de toucher le fond

Après avoir passé trente ans de sa vie à aider les gens à améliorer la leur, le Dr Jim Reeve en est arrivé à la conclusion que pour changer, il ne suffit pas de voir la lumière : il faut que la situation soit devenue intenable. Rappelez-vous ces paroles remplies de sagesse lorsque vous vous efforcez d'aider les autres. Il se peut que votre message soit parfaitement adapté à eux, mais qu'ils ne soient pas encore prêts à l'entendre, n'ayant pas encore «touché le fond». Il arrive qu'un naufragé choisisse d'ignorer la bouée de sauvetage qu'on lui lance. Ne vous fatiguez pas à interpréter comme un rejet ce manque de réaction qui est souvent simplement dû au fait que les gens ne sont pas encore assez dégoûtés de leur situation pour accepter votre aide.

> *Si vous avez la vie de quelqu'un plus à cœur qu'il ne l'a lui-même, vous courez tout droit vers des maux de tête et des déceptions.*

Récemment, j'ai reçu un coup de fil d'un monsieur concernant son mariage. D'après l'heure à laquelle il m'appelait et au ton de sa voix, j'eus l'impression qu'il vivait de graves ennuis matrimoniaux. Je lui offris donc de me rendre chez lui, ce à quoi il me répondit : « Ce serait génial, mais faisons cela plutôt la semaine prochaine. J'ai une grosse semaine devant moi. » Il est clair qu'il avait vu la lumière, mais qu'il n'avait pas encore touché le fond !

Le transfert de bagages

J'ai appris la notion de transfert lors de mes cours de psychologie. C'est en me mettant à aider les gens que j'ai compris qu'il ne s'agissait pas d'une simple théorie. Certaines personnes n'ont aucune intention de changer ; elles cherchent simplement quelqu'un sur qui transférer leur désespoir dans l'expectative d'un soulagement temporaire. Ces personnes tendent un piège aux personnes naïves qui veulent leur venir en aide. Leur vie étant en déroute, elles leur envoient un signal de détresse indiquant qu'elles veulent être repêchées et installées dans une vie meilleure. Connaissant le chemin qui y mène, nous voilà prêts à leur tendre la main.

Encore et encore, nous leur prêtons une oreille attentive. Cependant, lorsque ayant écouté toutes leurs histoires tristes, nous sommes prêts à leur donner de bons conseils aptes à les aider, elles ont coupé le contact. Nous les conseillons malgré tout, mais quelque chose nous dit que cela fait longtemps qu'elles n'écoutent plus. Elles ont perdu tout intérêt pour la conversation puisqu'elles ont déjà obtenu ce qu'elles voulaient. En effet, ayant déchargé leurs malheurs dans des oreilles bienveillantes, elles se sentent mieux. Quoique provisoire, le soulagement qu'elles éprouvent leur suffit pour le moment. Refermant leur sac rempli de déboires et d'erreurs, elles se remettent en route en sachant que lorsqu'il sera devenu trop lourd, elles trouveront quelqu'un d'autre pour les « aider ».

Les ouaouarons et les papillons

Laissez-moi commencer par vous parler des papillons. Je fais allusion aux personnes qui n'établissent de racines nulle part. Réellement sympathiques, elles vous donnent l'impression d'avoir trouvé en votre aide exactement ce qu'elles cherchaient. Vous voilà tout content parce que ce sont elles qui sont venues vers vous et non l'inverse. Vous êtes donc ravi de passer du temps en leur compagnie. Toutefois, vous vous retrouvez moins enchanté lorsqu'elles repartent aussi vite qu'elles sont venues, vous laissant aux prises avec la question profonde : « Mais qu'est-ce que j'ai fait de travers ? »

Il suffit de rencontrer quelques papillons pour les reconnaître. Ils voltigent d'une personne à une autre, d'un groupe à un autre. Lorsque vous tombez sur un papillon (ou plutôt qu'il tombe sur vous), le moment est bien choisi de vous rappeler leur nature éphémère.

Passons maintenant aux ouaouarons. Ils se posent sur votre feuille de nénuphar en croassant pour attirer votre attention. Cependant, dès que vous allongez la main pour les toucher, ils sautent sur la feuille de nénuphar de quelqu'un d'autre. Ces mêmes personnes se demandent pourquoi elles voudraient faire partie d'un club qui voudrait bien d'elles comme membre. C'est leur manque de confiance en leur propre valeur qui les incite à rechercher l'attention des autres, particulièrement celle des personnes prospères.

Les ouaouarons pensent que si leur valeur est reconnue par une personne prospère, pour une raison ou pour une autre, ils auront une meilleure opinion d'eux-mêmes. Cependant, lorsque l'occasion se présente, leur manque de confiance en leur propre valeur prend le dessus et les voilà convaincus que si quelqu'un est disposé à s'associer à eux, il ne doit pas être aussi prospère que cela. Et ainsi, ils sautillent d'une personne à une autre, d'un organisme à un autre, traînant derrière eux leur mentalité défaitiste face au succès, à savoir qu'«il faut être perdant pour en apprécier un autre».

Je fournis des occasions aux personnes prometteuses qui ont du potentiel, mais ne réserve de récompenses qu'à celles qui produisent des résultats.

M. et Mme Potentiel

Vous est-il déjà arrivé d'entendre une personne prospère remercier quelqu'un en lui disant: «Vous avez cru en moi avant que je ne croie en moi-même»? C'est un sentiment fort agréable qui me réjouit au plus haut point lorsque c'est le cas. Mais regardons les choses en face. S'il suffisait qu'une personne croie en une autre pour lui apporter la réussite, il n'y aurait pas d'échec. En vérité, le monde est rempli de MM. et Mmes Potentiel. Après avoir rémunéré des personnes en fonction de leur potentiel et connu maintes expériences décevantes, j'ai revu ma stratégie. Je fournis des occasions aux personnes prometteuses qui ont du potentiel, mais ne réserve de récompenses qu'à celles qui produisent des résultats.

Les amoureux du dysfonctionnement

Les gens que cela intéresse de savoir que vous détenez les clés d'une vie meilleure sont bien sûr ceux qui sont aux prises avec des difficultés. Ainsi,

Lorsque vous aidez les autres, votre propre vie s'améliore.

avec enthousiasme, vous partagez avec eux les principes du succès, puis vous attendez qu'ils agissent en fonction de vos révélations libératrices. Mais rien ne se passe. Ils ne changent pas.

Pensant que vous vous êtes mal expliqué la première fois, vous vous remettez à la tâche. Mais cette fois encore, vos interlocuteurs restent noyés dans leurs problèmes. Après avoir à nouveau tenté de leur venir en aide, vous vous apercevez qu'ils apprécient certes l'attention que vous leur donnez, mais qu'ils ne veulent pas vraiment ce que vous leur offrez. Ils sont en fait amoureux de leur dysfonctionnement. C'est là qu'ils trouvent leur identité. Ils adorent la protection durable contre toute prise de responsabilité qu'il leur assure.

Au cours des premiers échanges avec ces personnes, vous avez l'impression d'avoir fait des progrès. Vous êtes convaincu que si tous les autres qui vous ont précédé ont échoué, vous, vous tenez le bon bout. Mais c'est faux ! Loin d'être le héro, vous êtes sur le point de devenir la prochaine victime. Ces personnes sont un gouffre de besoins affectifs qu'aucun humain ne peut combler. Elles vous attirent vers elles en vous remplissant de faux espoirs mais en définitive, vous êtes victime d'un coup monté. Leur intention est de vous enliser dans leur déchéance. Elles ne sont pas simplement dysfonctionnelles, elles cherchent un ami qui partage leur désarroi et en témoigne.

Le pire dans tout cela, c'est que dès qu'elles découvrent que vous refusez de vous laisser enliser dans leur déchéance, vous devenez un bourreau, pas parce que vous ne leur êtes pas sympathique, mais parce que pour conserver leur identité de victime, il leur faut un bourreau. Et voilà votre récompense pour avoir cherché à les aider! N'êtes-vous pas impatient de passer à l'action et d'aider les autres à réussir?

Ne vous découragez pas à l'idée d'aider autrui. Seulement une sur dix personnes que vous chercherez à aider entrera dans l'une de ces catégories. Mieux vaut cependant être prévenu car ces 10 pour cent seront responsables des 80 pour cent de votre peine. Dans son livre intitulé *Maximize the Moment*, T.D. Jakes donne un aperçu intéressant du sujet. L'auteur affirme que vos tentatives de réhabiliter quelqu'un peuvent échouer. Si vous êtes comme lui un militant invétéré, vous pouvez ressentir le même besoin pressant de prêter main forte aux victimes, ou perdants. Toutefois, il est impossible d'aider tout le monde. Toujours selon lui, vous devez parfois accepter le fait que vos efforts ne suffisent pas. Ce n'est pas parce que vous laissez aller ces personnes qu'elles ne progresseront jamais. Cela signifie simplement que Dieu est mieux placé que vous pour les aider. Remettez-les entre les mains de Celui qui jamais n'échoue.

Travailler auprès des gens sera toujours un défi. L'effort que vous y mettrez vous vaudra de connaître la nature humaine mieux que vous ne le souhaiteriez. Il vous vaudra une connaissance de vous plus approfondie que vous n'aimeriez en avoir! L'expérience n'en est pas moins bénéfique, à condition de rester enthousiaste. Il vous arrivera d'échouer, mais pensez aux personnes que vous réussirez à tirer d'embarras. L'essentiel, c'est que lorsque vous aidez les autres, votre propre vie s'améliore.

Mais comment donc se termina l'histoire de Mike et de Sam? Eh bien, après m'être fait casser la figure sans cérémonie, je me remis sur pied et entrepris de raisonner celui qui me semblait le plus réfléchi, en l'occurrence Sam. Faisant de mon mieux pour le convaincre de la futilité de la bagarre, je l'encourageai à monter dans sa voiture et à s'en aller. Quel soulagement que de le voir suivre mes conseils (et ne pas revenir muni d'un fusil)!

Puis, je me tournai vers Mike qui était considérablement plus grand que moi et encore furibond. N'ayant plus rien à perdre, je le regardai droit dans les yeux et me mis à prononcer ce qui aurait pu être le derniers discours de motivation de ma vie. «Mike, lui dis-je, je venais tout juste de dire à mes fils de vous regarder jouer afin de pouvoir vous imiter. C'est alors que vous vous êtes mis à vous battre comme des chiens. Que suis-je censé dire à mes enfants, Mike? Que c'est ainsi que les adultes règlent leurs différends? Écoute, Dieu t'a mis sur cette planète pour voler comme un aigle et pas mettre les autres en pièces. Tu es censé être une source d'inspiration pour les enfants qui devraient grandir avec l'idée d'être comme toi. Veux-tu vraiment être pour eux un exemple de violence, Mike?»

Mon cœur battait la chamade parce que je n'avais aucune idée de la façon dont il allait réagir. Je décidai donc de poursuivre simplement en lui posant une question plutôt obtuse étant donné la situation délicate dans laquelle je me trouvais. «Mike, puis-je prier pour toi?» ajoutai-je en me disant que s'il avait l'intention de me tuer, autant m'en aller en état de grâce! Il hocha la tête.

Ayant fini de parler, je retirai ma main de sur son épaule tatouée. Mike leva la tête et je pus voir qu'il était ému. Il se dirigea vers mes fils et leur fit des excuses. Puis il alla rejoindre ses copains. Tandis qu'il s'approchait du groupe, ceux-ci se mirent à proclamer sa victoire sur Sam. Mais Mike leur fit signe d'arrêter. Ne voulant pas se retrouver dans la vilaine situation dont il s'était tiré, il s'en alla et ne revint pas. Mike changea pour le mieux.

La question n'est pas encore tranchée, à savoir si j'ai bien fait de me mêler à la bagarre pour commencer. Si mes fils ne s'étaient pas trouvés là, peut-être y aurais-je été moins enclin. Il n'en reste pas moins que c'est une anecdote qui illustre bien comment, en venant en aide aux autres, on risque d'être blessé par eux, mais aussi d'être témoin de merveilleux changements dans leur vie. La plupart du temps, pour être témoin d'un miracle, il faut être prêt à être blessé. Le jeu en vaut cependant la chandelle.

> *Il ne voulait pas se retrouver dans la vilaine situation dont il s'était tiré.*

Fini les bonnes excuses et les reproches !

Lorsqu'un archer manque sa cible, il cherche en lui la raison de son échec. Lorsqu'on manque son point de mire, ce n'est jamais la faute de la cible. Pour améliorer son tir, il faut s'améliorer soi-même. (traduction libre)

— Gilbert Arland

Il est possible, même en ayant atteint un certain niveau de succès, de manifester une tendance au blâme et aux bonnes excuses. Je le sais par expérience. Cependant, il arrive inévitablement un moment où pour progresser, il faut faire le ménage de son répertoire intellectuel et se débarrasser de ses mauvais instincts, ce qui n'est pas chose facile. En mettant la faute sur les autres ou en se trouvant de bonnes excuses pour se «tirer d'embarras», on se soustrait à toute responsabilité face à sa situation. Cela n'a rien de nouveau. En effet, la tendance qui consiste à mettre la faute sur quelqu'un ou quelque chose est aussi vieille que l'humanité elle-même. Même si elle ne date pas d'hier, je crains que nous n'ayons créé un système sociétal où il est plus que jamais facile d'éluder ses responsabilités.

En voici un exemple parfait. Cela se passait tandis qu'un de mes amis du nom de Steve et moi-même nous trouvions dans l'aire de restauration d'un méga magasin de rabais. Attenant à ce rayon, se trouvait le comptoir de service à la clientèle. Quelques personnes faisaient la queue pour se faire rembourser, pour une raison ou pour une autre, le prix de certains produits. Une dame poussait devant elle un chariot dans lequel se trouvaient deux grandes plantes d'intérieur qui ne donnaient aucun signe de vie. En fait, elles étaient en si piteux état que leurs feuilles étaient non seulement brunes mais complètement desséchées. Il était clair qu'on les avait laissées en plein soleil de Californie pendant des semaines sans leur donner la moindre goutte d'eau.

> *« Ce n'est pas de ma faute » : c'est cette façon de penser qui ralentit trop de gens sur la route de la vie.*

Steve était sidéré. Après avoir négligé ses plantes à mort, cette dame avait-elle la prétention de demander un remboursement ? Sûrement, le commis du service à la clientèle n'allait pas donner suite à sa requête. Et pourtant, sans la moindre hésitation, il la remboursa intégralement. Il attacha une étiquette aux plantes et poussa le chariot de côté. Faisant un petit crochet pour voir ce qu'il avait écrit sur l'étiquette, nous pûmes lire, sous le motif de demande de remboursement, indiqué en grosses lettres noires : plantes mortes.

Cela nous parut grotesque. Pourquoi achèterait-on deux plantes pour les emmener chez soi, les tuer et puis les rapporter au magasin en vue d'un remboursement ? Cela nous paraissait presque illégal. Suite à cet épisode, j'appris que de nombreux magasins ont une politique de remboursement « sans condition » en ce qui concerne les plantes mortes. En effet, on s'est aperçu qu'en déchargeant le client de sa responsabilité vis-à-vis des plantes, la cote d'estime du magasin se trouve rehaussée, ce qui encourage les ventes futures. Ce genre de leurre renforce sans l'ombre d'un doute la notion croissante selon laquelle nous aurions le «droit» de ne pas être responsables.

Si vous avez progressé jusqu'à un certain point mais sentez que vous plafonnez, c'est sans doute que vous avez éludé la responsabilité de votre avancement. Vous vous êtes trouvé des excuses et leur avez cédé votre progression. Vous préférez parler de raisons légitimes. Que vous les qualifiiez d'excuses ou de raisons légitimes, vous déléguez la responsabilité de votre situation à quelque chose qui ne dépend pas de vous. «Ce n'est pas de ma faute»: c'est cette façon de penser qui ralentit trop de gens sur la route de la vie. Même les personnes qui ont atteint un niveau de baccalauréat en science de la réussite peuvent être ralenties dans leur poursuite d'une maîtrise parce qu'elles ont encore trop recours à cette excuse.

«*It can't be wrong when it feels so right*» («C'est si bon que ça ne peut être mal») [traduction libre]. Ce sont là les fameuses paroles d'une chanson populaire d'antan. Mais voilà, ni les excuses ni le blâme ne procurent un sentiment de satisfaction, mais plutôt l'impression que l'on s'est menti à soi-même. Et à dire la vérité, on devrait éprouver des «remords de menteur» pour avoir porté un coup de boulet à son avenir. Voici quatre raisons pour lesquelles les personnes prospères veulent ne jamais avoir recours au blâme et aux excuses pour gérer les circonstances de la vie.

Les excuses et le blâme entretiennent le pessimisme

Chacun a droit à sa propre vue du monde. Quiconque s'acharne assez longtemps sur la vie a de quoi en développer une vue pessimiste. Le pessimisme, c'est la tendance à s'attendre au pire en toute circonstance. Sans aucun doute, toutes les personnes prospères doivent au long de leur parcours faire face à de dures réalités et à des injustices. Malgré leurs succès, certaines laissent les difficultés de la vie leur donner une vision négative du monde. Cela n'enlève rien à leur réussite, mais on ne peut que se demander jusqu'où elles iraient si elles étaient d'une nature optimiste.

Le blâme et les excuses sont indissociables du pessimisme avec qui ils cohabitent, s'alimentant et se venant en aide mutuellement. Le blâme et les excuses ont emménagé le jour où ils ont été mis à la porte par l'optimisme.

Les personnes qui ont des attentes positives connaissent davantage de succès que celles qui ont des attentes négatives. Lorsque le blâme et les excuses se promènent dans la rue, l'optimiste change de trottoir car il sait que la présence de ces types douteux ne peut qu'entraver son avancement.

Les excuses et le blâme développent une mentalité de victime

Parfois, il est plus facile de mettre la faute sur ses parents, son éducation, ses gènes ou sa malchance pour expliquer sa situation actuelle. Cependant, chaque fois que l'on choisit de se trouver des excuses ou de blâmer quelque chose ou quelqu'un pour la situation dans laquelle on se trouve, on abdique sa responsabilité de progresser. On se permet de devenir la victime. Toutefois, cette mentalité de victime ne s'acquiert pas du jour au lendemain. Elle doit être développée. Elle s'épanouit dans le terreau de la pensée destructrice, une terre bien fertilisée par un sac de blâme et un tas d'excuses.

Peu importe votre niveau de succès, votre prochain avancement pourrait vous procurer les conditions parfaites pour vous faire pousser une mentalité de victime. Vous saurez que vous en êtes là si vous vous prenez vous-même la main dans le «sac d'excuses». Au lieu de succomber à la mentalité de victime, pensez aux paroles de l'Américaine Joan Didion, romancière et journaliste, selon qui c'est de la volonté d'accepter la responsabilité de sa propre vie que naît l'estime de soi.

> *Les personnes qui ont des attentes positives connaissent davantage de succès que celles qui ont des attentes négatives.*

Les excuses et le blâme multiplient les sentiments de défaite et de désespoir

Les excuses ne procurent jamais un sentiment de victoire. Elles peuvent apporter un soulagement temporaire qui n'est cependant que de courte durée. Telle de la peinture bon marché que l'on appliquerait sur un mur, elles ne parviennent pas à dissimuler la couche précédente, en l'occurrence le fait que nous avons échoué. Comme il est difficile de l'admettre, on cherche une solution miracle dans les mots «ce n'est pas de ma faute» qui ne procurent cependant jamais l'effet voulu. Au lieu de sauver la face, on se retrouve aux prises avec des sentiments encore plus profonds de défaite et de désespoir.

Les excuses et le blâme sont des mécanismes d'autodéfense qui nous aident à conserver notre dignité lorsque les circonstances de la vie dirigent les projecteurs

> *Pour éviter d'avoir l'air d'une oie, on se trouve une excuse.*

sur les limites de nos compétences. Plutôt que d'admettre que nous avons des limites, nous redirigeons les projecteurs ailleurs que sur nous.

Personne n'aime voir son incompétence révélée sous les feux des projecteurs. S'il est humiliant de montrer sa nudité intellectuelle, il est cependant normal de se trouver des excuses ou de mettre la faute ailleurs lorsqu'on atteint le plafond de sa compétence. Toutefois, cette façon d'agir ne change rien à la hauteur du plafond. Lorsqu'on met la faute sur les autres, on renonce à son pouvoir d'apprendre, de changer, d'étendre sa compétence et de progresser dans la vie.

Les excuses et le blâme retardent la victoire

Regardons les choses en face. Nous accordons une certaine importance à la perception que les autres ont de nous. Si nous étions des oiseaux, nous préférerions nettement être des aigles que des oies. On peut donc comprendre que lorsque la vie nous fait passer pour des incompétents, pour ne pas avoir l'air d'oies, nous nous trouvons des excuses. C'est un moyen simple, facile, et si nous nous y prenons bien, nous pouvons même avoir l'air de maîtriser la situation.

Toutefois, tant que nous avons des excuses ou quelqu'un à blâmer, nous évitons la responsabilité de notre propre avancement. La rationalisation et les justifications ne font que retarder notre victoire. Comme le dit le Dr Phillip McGraw, pendant que nous blâmons quelqu'un d'autre avec ardeur, nos compétences d'autodiagnostic tombent en pièces. Ainsi, nous avons retardé non seulement notre croissance, mais aussi notre victoire future.

Personne ne souhaite que sa vie cesse de prendre de la valeur, et pourtant c'est ce qui se passe lorsque nous nous trouvons des excuses. Si nous nous y conformons, celles-ci prennent le dessus sur notre vie. Si nous nous conformons à la pratique de blâmer quelqu'un ou quelque chose d'autre pour notre situation actuelle dans la vie, nous négligeons d'évaluer notre situation et d'assurer de meilleures conditions à notre avancement. Pourquoi donc, en connaissance de cause, adoptons-nous ces mauvais compromis?

Pour progresser, il faut cesser une fois pour toutes de jeter le blâme ailleurs et de se fabriquer des excuses. C'est essentiel si l'on veut remodeler sa vie à l'image de la réussite.

> *Pour progresser, il faut cesser une fois pour toutes de jeter le blâme ailleurs et de se fabriquer des excuses.*

La protection contre la peur des personnes prospères

P eut-on être prospère au point de ne plus avoir peur? J'ai entendu des multimillionnaires exprimer de sérieuses inquiétudes quant à leur richesse. J'ai rencontré des hommes mariés à la femme de leurs rêves qui passaient leurs journées à craindre qu'elle ne parte avec un autre. J'ai rencontré des femmes comblées qui, en secret, étaient angoissées parce que leur mari leur restait fidèle. Certaines personnes en parfaite santé craignent d'être la cible de maladies «ayant déjà atteint d'autres membres de la famille»; certains chefs haut placés n'arrivent pas à relâcher les rênes du pouvoir par crainte de perdre leur place, et certaines personnes dotées de popularité déploient de grands efforts afin d'éviter que leurs enfants ne soient reconnus.

Loin de réduire vos craintes, le succès vous y rend encore plus sujet. Les occasions de souffrir d'anxiété ne feront qu'augmenter au fil de votre avancement personnel. Cela revient à dire que tandis que vous chercherez à élargir votre vie, la peur cherchera à vous la restreindre. J'ai vécu récemment un parfait exemple de cette vérité.

Tandis que vous chercherez à élargir votre vie, la peur cherchera à vous la restreindre.

Alors que j'habitais notre maison dans les montagnes, je partis un bon matin faire de la course à pied pour commencer la journée. Au tournant de la route se trouvait une maison rouge d'où s'élança, tandis que je passais devant, un bouvier allemand robuste, férocement offusqué par ma présence. Par chance, son propriétaire eut le temps de le rappeler avant qu'il n'illustre par une morsure son aboiement pour le moins intimidant. Comme je devais repasser par là au retour, je recommandai poliment à son maître de garder son chien sous contrôle. Celui-ci acquiesça d'un signe de tête.

Sur le chemin du retour, en passant devant la maison rouge, quelle ne fut pas ma stupéfaction de voir le chien s'élancer de nouveau vers moi. En réponse à mes cris, le maître réapparut et rappela son chien. Cette fois, ma requête se fit plus insistante du fait que mes enfants prennent la même route pour aller au lac. J'implorai donc le propriétaire du chien de le garder sous contrôle. De nouveau, celui-ci acquiesça, promettant de le tenir en laisse.

> *Il atterrit sur le sol, les crocs solidement plantés dans mon mollet.*

Le lendemain matin, alors que je me préparais pour autre bonne séance de course à pied, je fus tenté de changer de trajectoire, mais décidai que ce serait céder à mes craintes. D'autres peuvent bien être guidés par la peur, mais pas Wes Beavis ! Je partis donc hardiment en direction de la fameuse maison rouge. J'admets que je me sentais un peu nerveux, mais j'avais bien décidé de ne pas céder à la peur. Ayant pris le virage et dépassé la maison rouge, je vis apparaître «la bête» dans ma vision périphérique.

Comme sorti d'un film de Stephen King, le chien se lança à mes trousses. Tandis qu'il se trouvait à trois mètres de moi, il bondit, le regard braqué sur ma jambe droite. Ayant retroussé ses babines dégoulinantes de salive, il atterrit, les crocs solidement plantés dans mon mollet.

Cette fois, plus question d'être poli. Criant en direction du propriétaire de la bête, je tirai de ma poche mon téléphone cellulaire et appelai le service d'urgence. La police arriva sur les lieux et le propriétaire fut accusé d'infraction grave. On lui donna une amende et une date de procès. Son chien fut confisqué et mis en quarantaine pendant une dizaine de jours. Quant à moi, après avoir été vacciné et traité aux antibiotiques, je me rétablis et pus reprendre mon activité de course à pied, quoique avec quelques cicatrices sur la jambe et dans l'âme.

Pendant les premiers temps qui suivirent «l'incident du bouvier allemand», lorsque je courais devant la maison rouge, j'en avais des nausées. Il fut un jour où cela m'angoissa au point où je faillis vomir. J'aurais pu renoncer à courir dans la montagne. Mais en agissant ainsi, j'aurais permis à ma peur de ce chien de restreindre mon monde. Je luttai donc pour m'assurer un monde spacieux. Je n'ai pas encore entièrement vaincu ma méfiance à l'égard des chiens méchants, mais armé d'une raquette de tennis, je continue de courir sous l'œil intrigué de mes voisins de montagne qui me demandent où se trouve le court de tennis!

Laissez-vous motiver par des pensées positives aptes à développer et à élargir votre monde au lieu de le restreindre.

Il est naïf de penser que le succès chasse la peur. Si vous souffrez de «névrose financière» alors que vous valez cent dollars, le fait d'augmenter votre valeur nette à un million de dollars ne fera qu'aggraver votre état. Au fur et à mesure que vous progressez, vous devez être conscient du défi omniprésent que pose la crainte. Jamais elle ne disparaît complètement parce qu'à chaque avancement, on devient conscient de nouvelles difficultés qui peuvent étouffer sa paix intérieure. On sait que chaque échelon a son démon. Regardez bien les personnes qui progressent. Elles persévèrent, non parce qu'elles ne connaissent pas la peur, mais parce qu'elles se sont armées de quelques raquettes de tennis.

Raquette de tennis n° 1 :
Évitez de vous laisser motiver par la peur

Rappelez-vous que si la peur est un élément de motivation, elle est néfaste. Il est certain qu'elle peut vous inciter à agir. Par exemple, la peur d'une retenue peut motiver un enfant à terminer ses devoirs, mais c'est là une motivation négative. La peur vous draine de votre optimisme et de votre passion. Elle sape votre confiance et tarit votre enthousiasme. En limitant votre monde, elle vous prive d'occasions et de relations bénéfiques.

> *La vie de personne n'est faite de victoires ininterrompues.*

Bien sûr, elle peut aussi vous propulser vers l'avant, mais vous serez transformé en cours d'opération. Affirmant que bon nombre de décisions sont motivées par la peur de l'avenir, le regretté Larry Burkett illustre ce processus de transformation en citant l'exemple des gens qui vivent chichement en vue du jour fatidique que l'on appelle la retraite. Souvent, ils vivent toute leur vie dans l'attente du jour où ils pourront éventuellement « se reposer et profiter de la vie ». Malheureusement, cette même peur qui les a incités à économiser en vue de ces « dernières » années les incite à se sacrifier davantage « au cas où ».

Lorsqu'on est motivé par la peur, on devient bien moins que ce que l'on aurait pu être si l'on avait été motivé par des pensées positives. La motivation qui repose sur quelque chose de positif comme le désir de poursuivre sa vision vous fera grandir. Laissez-vous motiver par des pensées positives aptes à développer et à élargir votre monde au lieu de le limiter.

> *Si la peur et le doute vous regardent vous débattre, la foi quant à elle vous porte là où vous voulez aller. Par conséquent, fortifiez votre foi.*

Raquette de tennis n° 2 :
Concentrez-vous plutôt sur votre avancement que sur l'objet de vos craintes

Est-ce que vous saisissez bien ce qui se passe lorsque vous craignez quelque chose ? Plutôt que de vous en protéger, vos craintes ne font que permettre à la peur de mettre « le pied dans la porte » de votre vie. Vous pouvez être sûr qu'avant longtemps, elle s'y installe et prend le dessus. C'est de cela que témoignait l'homme d'affaires prospère connu dans la Bible sous le nom de Job lorsqu'il écrivit : « Ce que je crains, c'est ce qui m'arrive ; ce que je redoute, c'est ce qui m'atteint. »

Vous ne disposez dans votre vie précieuse que d'un espace limité. Pourquoi réserver de la place à quelque chose qui vous affaiblit ? Mieux vaut réserver cet espace dans votre vie à ce qui peut améliorer votre situation. Le temps passé à vous inquiéter de l'objet de votre peur et de difficultés éventuelles vous prive d'un temps précieux qui pourrait vous servir à progresser et à améliorer votre qualité de vie. Autrement dit, s'inquiéter des choses qui pourraient aller mal augmente les chances qu'elles aillent mal.

Raquette de tennis n° 3 :
Définissez l'échec comme un accident, pas comme une identité

Si vous demandez à des personnes qui ont vécu longtemps si elles ont quelque regret, la plupart s'étendent plutôt sur ce qu'elles n'ont pas accompli et se plaignent davantage des choses qu'elles ne sont pas parvenues à essayer que de celles qu'elles ont essayées sans y parvenir. La vérité, c'est que nous avons si peur d'échouer que nous ne prenons pas de risque. Plutôt que de miser sur notre beau grand potentiel, nous finissons par vivre une vie limitée par la peur.

Le film intitulé *La légende de Bagger Vance* raconte l'histoire d'un golfeur professionnel du nom de Rannulph Junuh dont le rôle est joué par l'acteur Matt Damon. Rannulph Junuh ne maîtrise plus son swing ; ce qui est apparemment le cauchemar de tout golfeur. Arrive à l'improviste le caddie Bagger Vance, personnifié par Will Smith, qui l'aide à le retrouver. La partie que je préfère, c'est celle où Rannulph est au beau milieu d'un tournoi de golf important. Ayant fait un vilain crochet à droite, il murmure à son caddie : «Cela va devenir gênant.» Ce à quoi ce dernier lui répond : «Non, ça l'est déjà depuis un bout de temps.»

Bien des gens n'essaient même pas de faire mieux par crainte d'avoir l'air ridicules en cas d'échec. Ainsi, ils se retiennent au nom de l'autoconservation, sans se rendre compte que chaque fois qu'ils agissent ainsi, ils restreignent leur monde. La vie de personne n'est faite de victoires ininterrompues. Définissez l'échec comme ce qu'il est vraiment, c'est-à-dire un accident. L'échec n'est jamais une identité à moins qu'on ne le laisse le devenir. Selon les dires de Marilyn von Savant, l'échec n'est que temporaire ; il ne devient permanent que si l'on abdique.

Raquette de tennis n° 4 :
Ayez la foi et triomphez de la peur

En tant que futur chef, vous devez comprendre que vos craintes toucheront d'autres personnes que vous. Comme le dit le psychologue Daniel Goleman, les chefs qui sont incapables de maîtriser leurs propres craintes peuvent contaminer tout un groupe. Vous traversez des moments difficiles, mais en qualité de bon chef, vous ne devez pas transmettre votre angoisse à votre équipe. Cela ne signifie pas qu'il faille nier l'existence du danger (mais non, il n'y a pas de bouvier allemand) ; d'ailleurs cela ne suffirait pas à rassurer vos coéquipiers. Rappelez-vous que si la peur et le doute vous regardent vous débattre, la foi quant à elle vous porte là où vous voulez aller. Par conséquent, fortifiez votre foi. Ainsi armé de votre raquette de tennis, vous êtes en mesure de traverser sans difficulté un territoire incertain en emmenant avec vous un tas de gens.

Acharnez-vous à élargir votre vie, tout en sachant que vos craintes s'acharneront tout autant à la restreindre. Il n'y a pas de doute qu'à cesser de prendre des risques, on se laisse intimider. Or l'intimidation ne mène pas au succès. Pour m'en souvenir, je me suis écrit un poème que j'ai intitulé *Ode à l'adversaire* que je partage ici avec vous.

Ode à l'adversaire

On ne peut être vainqueur que si l'on a vaincu.
Sans adversaire, il n'y a rien à faire,
Jamais je ne connaîtrai la victoire
Jamais je ne connaîtrai la gloire.

— *Wes Beavis*

Vos amis sont les ponts de votre avenir

S elon le philosophe grec Euripide (480-406 av. J.-C.) «Celui qui préfère la richesse ou la puissance à des amis sûrs n'a pas son bon sens.» Le philosophe australien que je suis (1962- en l'an de grâce) dit la chose suivante : «Il est bon d'être aimé par ses nombreux amis et mieux encore si certains d'entre eux sont riches et puissants.»

Plus encore que les circonstances, les gens à qui nous nous associons peuvent changer notre vie. La qualité de notre avenir dépend largement des personnes dont nous nous entourons aujourd'hui. Si vous voulez progresser dans la vie, jetez un coup d'œil à la liste de vos relations. Ce sont d'elles que dépendent vos progrès, car vos amis sont les ponts de votre avenir.

Lorsqu'on pense aux moments de sa vie où l'on a vécu des changements importants, on s'aperçoit que certaines personnes étaient en cause. La qualité du changement reflète souvent la qualité des personnes que l'on fréquentait à ce moment-là.

> « En nouant des relations, nous construisons les ponts de notre avenir. »

Philip Baker dirige un organisme de quatre mille personnes à Perth, en Australie, ville la plus isolée du monde du point de vue géographique. Malgré son éloignement, Philip a pris soin d'établir des relations avec des magnats du monde entier dont plusieurs vont jusqu'à effectuer le vol éprouvant de vingt heures qui sépare Perth des États-Unis dans le but de prendre part à ses activités. Le succès de Philip est dû largement au fait de son *modus vivendi* : «Notre destinée ne dépend pas tant de nous que des autres ; ainsi, en nouant des relations, nous construisons les ponts de notre avenir.»

Recherchez les relations qui vous font grandir

Euripide avait raison d'affirmer qu'un homme bien entouré est un homme heureux. Cependant, pour construire ce genre de pont, il ne suffit pas d'avoir de nombreux amis. S'il en était autrement, il suffirait de payer la ronde aux clients de n'importe lequel des innombrables bars du monde pour se monter une armée d'amis. Si votre objectif est de construire des ponts vers un meilleur avenir, vous devez cultiver des relations avec des gens qui ont déjà atteint ce niveau. Pour progresser, vous devez apprendre à distinguer ceux qui vous diminuent de ceux qui vous font grandir.

Récemment, alors que je terminais une conversation téléphonique, mon fils David entra dans mon bureau. Dès que j'eus raccroché, ce dernier me demanda à qui je parlais. Je lui répondis que c'était Maya qui est au service de notre compagnie d'assurance. Au bout d'un instant de réflexion, David me demanda si elle me facilitait ou me compliquait la vie. Je fus frappé par

> *Cultivez des relations avec des personnes qui vivent déjà ce meilleur avenir.*

tant de perspicacité de la part d'un enfant de douze ans. Plus j'y pensais, plus je me disais que j'aurais dû me poser cette question bien plus souvent en ce qui concerne mes relations. Il arrive que des personnes s'infiltrent dans notre vie et nous rendent la vie difficile, sans aucun égard pour notre bien-être.

Prenez bonne note de ce que dit l'expert en affaires Peter Drucker, à savoir qu'il est insensé de nous contenter de relations qui nous diminuent au lieu de nous faire grandir et qui amoindrissent notre valeur et notre caractère plutôt que de les développer. Ainsi, nous devrions rassembler le courage et l'intégrité de mettre fin à nos relations personnelles et professionnelles sans issue. Il nous faut reconnaître que les notions troubles de loyauté peuvent nous rendre aveugles à de simples réalités et comment l'espoir irréaliste de changements futurs peut nous empêcher de réaliser notre meilleur potentiel. Les relations toxiques ne nous rendent pas seulement malheureux, elles corrompent nos attitudes et notre caractère de façon à miner nos relations plus saines et à brouiller notre vision du possible. Toujours selon Peter Drucker, il n'est jamais facile de changer, mais sans changement, il n'y a pas d'amélioration.

Pour progresser, il faut modifier sa vie relationnelle et laisser entre autre s'éteindre certaines relations, ce qui requiert rarement le recours aux grands moyens. En effet, les relations, c'est comme les feux de camp : si l'on ne les attise pas, elles finissent par s'éteindre.

> *Bien des gens essaient de cultiver toutes leurs relations, mais finissent par se sentir dépassés et coupables de ne pas réussir à en entretenir une seule adéquatement.*

Si les relations s'éteignent d'elles-mêmes, il est parfois nécessaire de prendre la décision consciente de cesser de les entretenir. Même si une relation a régressé au stade de survie et ne tient plus qu'à un coup de fil occasionnel, il reste toujours une certaine réticence à avouer qu'elle est terminée. Si vous avez ne serait-ce qu'un soupçon de bonté humaine dans les veines, le fait de décider qu'une amitié n'a aucun avenir peut vous sembler moralisateur et cruel et vous donner l'impression de faire preuve d'élitisme. C'est la raison pour laquelle bien des gens essaient de cultiver toutes leurs relations, mais finissent par se sentir dépassés et coupables de ne pas réussir à en entretenir une seule adéquatement. Il convient cependant de laisser aller une relation qui a fait son temps et suivi son cours. Donnez aussi aux autres la chance de renouveler leurs relations !

Puis il y a les relations qui ne s'éteignent pas d'elles-mêmes. Dans ce cas, je m'en remets à ce bon vieux conseil : Si vous avez la tête prise dans la gueule d'un lion, dégagez-vous-en tout doucement. Autrement dit, allez-y progressivement, mais mettez fin à la relation.

> *Pour progresser, il faut se faire de nouveaux amis.*

Cela ne signifie pas qu'on ne puisse pas entretenir certaines relations « en souvenir du bon vieux temps » ou pour d'autres raisons sentimentales. En fait, je me méfie des gens qui n'ont pas quelques bons vieux amis. Lorsqu'on n'a que des amis « récents », cela indique généralement que l'on n'a pas ce qu'il faut pour entretenir des relations à long terme. Je vous en prie, conservez certains vieux amis, mais si vous voulez progresser, vous devez vous en faire de nouveaux.

Enrichissez votre vie en vous entourant de personnes qui vous font grandir

Nous avons tendance à nous encroûter : une fois que nous avons découvert quelque chose qui nous convient, nous nous y accrochons. C'est ce que les psychologues appellent des réseaux neuraux pré-établis ou *accoutumance*. Pour assurer un bon déroulement à notre vie, nous devons pouvoir mettre certaines fonctions en pilote automatique, ce qui nous libère du besoin d'évaluer tous nos gestes et nos pensées de la journée. Une fois que nous les avons perçus favorablement, nous incorporons ces derniers à notre routine quotidienne. Nul besoin de les réévaluer sans cesse.

> *La meilleure façon de vous propulser au niveau supérieur, c'est de vous lier à quelqu'un qui s'y trouve déjà.*

Lorsque nous souhaitons améliorer notre vie cependant, nous devons rajouter de nouvelles idées et actions à notre routine afin d'obtenir des changements. Pour bien des gens, les rêves d'une vie nouvelle ou améliorée tombent à l'eau car, bien qu'ils rêvent de nouveaux résultats, ils ne modifient en rien leur routine de pensées et d'actions. C'est aussi ce qui arrive lorsque nous essayons de progresser sans renouveler notre liste de relations.

Les relations sont tellement essentielles à notre avancement qu'à moins de renouveler notre liste de relations, nous demeurons au statu quo, encroûtés dans notre succès actuel. La meilleure façon de vous propulser au niveau supérieur, c'est de vous lier à quelqu'un qui s'y trouve déjà. S'il est là où il est, c'est qu'il ne fait pas les choses comme vous. En voyant comment il s'y prend, vous serez incité à sortir de

> *Si vous construisez votre pont, vous aurez sûrement l'occasion de le traverser. Les meilleures relations prennent des années à s'établir, mais durent encore plus longtemps.*

votre routine qui certes vous a valu votre situation actuelle, mais qui vous empêche maintenant d'aller plus loin.

Il peut arriver que de nouvelles relations vous ouvrent des portes. Mais attention : que cela ne vous serve pas de motivation. Ce que vous cherchez avant tout dans une relation avec une personne plus prospère que vous, c'est une source d'inspiration et de sagesse et non pas de vous faire donner une chance. Rien ne peut saboter une amitié naissante plus rapidement qu'une odeur d'opportunisme.

Si vous formez une véritable association fondée sur le respect, de nouvelles occasions en découleront tout naturel-

> *Tout le monde, indépendamment de sa situation, a besoin de nouvelles relations.*

lement. Si vous construisez votre pont, vous aurez sûrement l'occasion de le traverser. Soyez patient. Appliquez-vous à créer un pont solide. Les meilleures relations prennent des années à s'établir, mais durent encore plus longtemps.

Faites place à de nouvelles associations

Pour faire place à de nouvelles associations, il faut parfois procéder à un nettoyage. De l'avis de certains, le fait de rajouter et de retirer des noms de sa liste de relations dans le but d'améliorer sa vie c'est faire preuve d'utilitarisme, c'est-à-dire se préoccuper de ce que les gens peuvent nous apporter. Mais ce n'est pas la meilleure façon de voir les choses. Regardez-les plutôt de la façon suivante.

Lorsqu'une personne réussit, quelque chose en elle lui donne envie d'aider les autres à faire de même. Encore qu'elle doive discerner les gens qui veulent vraiment de l'aide de ceux qui veulent simplement se prélasser dans l'aura d'une personne prospère. Dans la vie, tout le monde, indépendamment de sa situation, a besoin d'établir de nouvelles relations. Le proverbe selon lequel tout comme le fer aiguise le fer, l'homme peut en aiguiser un autre, indique que toute nouvelle association a le potentiel d'aiguiser les deux parties concernées.

Il est parfois difficile de déterminer si une association actuelle a suivi son cours ou si elle est juste en phase d'hibernation, en attente d'une saison plus propice. Voici une bonne façon de déterminer la valeur future d'une relation. Observez les amis de votre ami, car ce dernier est en voie de devenir comme eux. Si ce que vous voyez vous plaît, gardez contact avec lui ; mais si vous n'êtes pas inspiré par ce que vous voyez, il est temps de dire adieu à votre relation. Ne voyez pas ce geste

> *Il est injuste que des gens au potentiel prometteur soient privés de vos idées parce que quelqu'un d'autre vous trouble et sape votre énergie.*

comme l'abandon de vos amis. Comme je l'ai dit précédemment, en vous retirant de leur vie, vous leur laissez la place pour de nouvelles associations.

Laissez aller les amis qui n'apprécient pas vos progrès

Si vous avez un seau rempli de crabes dont l'un décide de s'échapper, les autres vont l'en empêcher en le ramenant vers eux. Il peut en être ainsi des hommes. Tout le monde ne grandit pas à la même vitesse. Comme cette croissance personnelle requiert le renoncement à un certain confort, certaines personnes s'arrêtent là, se laissant dépasser par les autres. Lorsqu'une telle situation se produit entre des amis, il se crée une disparité, irrémédiable dans la plupart des cas.

Certains de vos amis ne reconnaîtront pas les progrès que vous faites au fil du temps. Ils entretiendront la même relation qu'ils avaient avec vous tel que vous étiez, pas tel que vous êtes maintenant. Il ne leur est pas facile d'accepter votre «nouveau moi», car votre avancement les obligerait à faire face à leur propre état de statu quo. Pour reconnaître que vous avez évolué, ils doivent accepter le fait que la vie que vous avez un jour partagée n'est plus. La dynamique a changé à tout jamais. Il leur est tout simplement plus facile d'essayer de vous ramener au niveau où vous étiez.

T.D. Jakes résume ce phénomène en disant que c'est bien triste, mais que souvent les gens qui vous connaissent depuis longtemps n'ont pas la capacité de voir la personne que vous êtes devenue. Ils évaluent généralement votre potentiel en se basant sur leur propre perspective de votre passé et vous retiennent prisonnier d'une période de votre vie qui est pourtant bien révolue. Toujours selon T.D. Jakes, ces personnes vous définissent en fonction de ce que vous étiez, non pas de ce que vous êtes devenu, et certainement pas de ce que vous pourriez devenir. C'est pourquoi n'est pas prophète qui veut dans son village. Les gens ont du mal à voir votre «nouveau moi» parce qu'ils vous voient à travers des verres teintés de la mémoire de l'«ancien».

Si vous avez l'impression que quelqu'un cherche à vous faire retomber au fond de votre vieux seau, soyez gentil avec lui. Sans doute n'en est-il pas conscient. Il veut simplement maintenir en vie votre «ancien moi». Vous savez que jamais vous ne pourrez retourner dans ce seau et y mener une vie heureuse. Vous pouvez cependant servir d'inspiration et inciter les autres à s'en échapper à leur tour ! Vous vous en apercevrez rapidement si c'est le cas. Autrement, poursuivez votre chemin avec grâce.

Mettez fin aux associations qui vous épuisent

Rappelez-vous que si vous admirez certaines personnes, l'inverse est également vrai. Cela est inévitable étant donné votre succès actuel. Certaines personnes ne sont pas arrivées au point où vous en êtes et pourraient bénéficier de vos conseils. Il est injuste que des gens au potentiel prometteur soient privés de vos idées parce que quelqu'un d'autre vous trouble et sape votre énergie.

Vous devez mettre fin aux associations qui vous épuisent. Dans son poème intitulé *Two Kinds of People*, Ella Wheeler-Wilcox fait allusion aux «personnes qui s'accotent». Or les gens qui s'appuient toujours sur les autres, en mobilisent l'énergie et en tarissent l'enthousiasme. Pour le bien de votre santé mentale mais plus encore, pour celui des personnes qui sauront mieux gérer vos idées, laissez aller celles qui s'accotent et faites place à celles qui «portent».

Toute personne, homme ou femme, a ce qu'il faut pour être un «porteur». Tout au long de votre cheminement, vous rencontrerez des porteurs en herbe en quête de votre inspiration. En leur donnant votre amitié et en vous associant à eux, vous les aiderez à construire les ponts de leur destinée.

Arborez une attitude qui reflète un succès authentique

L' une des faillites d'entreprise les plus spectaculaires du monde des affaires concerne Enron Incorporated dont le siège social se trouve au Texas. Ce géant de l'électricité connut des pertes sans précédent. Non seulement des millions d'actionnaires perdirent-ils absolument tout, mais l'épargne-retraite de l'ensemble du personnel avait été entièrement investie dans l'entreprise. Tous ces gens apprirent un bon matin qu'ils n'avaient plus d'emploi et pire encore, que toutes leurs épargnes-retraite avaient été englouties. Chuck Colson écrivit que la compagnie Enron n'était pas une petite officine douteuse et louche, qu'elle regroupait les meilleurs et les plus brillants piliers de la collectivité et que son président Kenneth Lay s'était vanté du fait qu'il n'avait engagé que des diplômés des meilleures écoles de commerce, soit Harvard et Wharton.

Avant de s'effondrer, Enron présentait tous les signes de succès. Seules les personnes complices de ses pratiques de « comptabilité créative » savaient que la compagnie était en fait un château de cartes. Lorsque le climat du marché international changea, ce qui est inévitable, Enron fut emporté par un vent contraire. De nos jours, Enron est le porte-étendard de la déception et du scandale industriels.

Il faut se poser la question, à savoir comment une entreprise apparemment prospère composée des plus grands esprits

> *Vous voulez que lorsque les gens se mettent à gratter la surface de votre succès, ils découvrent davantage que juste une couche superficielle.*

a pu se transformer en une escroquerie d'une telle ampleur. C'est facile lorsqu'on vit dans un monde où « la perception équivaut à la réalité ». On se donne un air plus prospère qu'on ne l'est vraiment et l'on exploite cette perception. C'est exactement ce que fit la compagnie Enron. Exploitant cette impression de succès, ses dirigeants feignirent le succès, pourtant illusoire.

Si vous voulez réussir à être prospère, vous devez apprendre à arborer une attitude de prospérité authentique. Vous voulez que lorsque les gens se mettent à gratter la surface de votre succès, ils découvrent davantage que juste une couche superficielle. Vous voulez qu'ils découvrent du contenu et de la force. Selon Warren Buffett, celui qui nage sans maillot dans l'eau peu profonde se retrouve tout nu lorsque la mer se retire.

C'est ce qui est arrivé à un monsieur de cinquante-cinq ans qui habitait la même rue que nous. Peu de temps après que j'aie emménagé là avec ma famille, j'appris que ce voisin était le plus riche des millionnaires de notre rue. J'étais dûment impressionné. On disait de lui qu'il avait une entreprise prospère. Il conduisait la toute dernière Corvette, une voiture rouge qu'il stationnait dans son garage pavé d'un damier de tuiles noires et blanches. Il possédait deux Harley-Davidson et la cour avant de son opulente demeure était peuplée de palmiers de taille adulte. Pour ne pas attendre des années, il avait payé un prix exorbitant pour avoir des arbres déjà arrivés à maturité. D'une certaine façon, il avait raison : il n'avait pas dix ans à perdre. Effectivement, plus tard cette année-là, il eut une crise cardiaque et y laissa la vie. La mer se retira, emportant avec elle sa réputation de millionnaire. Cet homme fut retrouvé nu à plusieurs points de vue.

En parlant à sa femme dans les semaines qui suivirent, je compris que le succès de mon voisin n'était que feint. Celle-ci avait renoncé à son titre d'épouse des années auparavant. Je lui demandai comment

Nous sommes une combinaison de bons et de moins bons éléments.

elle se débrouillait pour régler les affaires de son ex-mari, ce à quoi elle me répondit que c'était un véritable cauchemar. L'entreprise ne valait rien et avait été maintenue à coups de cartes de crédit. Toute valeur nette de la propriété avait depuis longtemps été engloutie ou dépensée. Elle m'avoua avoir acheté les deux Harley-Davidson pour inciter son fils à passer du temps avec son père, mais que cette stratégie n'avait servi à rien. La banque avait saisi la maison dont les versements hypothécaires étaient en souffrance depuis plusieurs mois. En définitive, même s'acquitter des funérailles n'allait pas être chose facile.

Nos paroles nous valorisent ou au contraire nous déprécient.

La perception peut équivaloir à la réalité, mais seulement pendant un certain temps. Même s'il y a un certain mérite à «feindre la réussite en l'attendant», en fin de compte le succès d'une personne doit reposer sur une certaine part authentique de contenu et de force. C'est à cette condition que l'on peut résister aux marées changeantes inévitables. Sans elle, nous courons de sérieux risques de finir comme Enron dans l'océan de la vie et de nous retrouver tout nus lorsque la marée, poussée par un changement des conditions, se retire. C'est là un tableau peu attachant pour nos amis et certes une expérience effrayante pour nous.

Voulez-vous jouir d'un succès authentique et durable ? Vous devez pour ce faire arborer une attitude inspirante d'où se dégagent une certaine force et un certain contenu lorsque les gens se mettent à gratter la surface. N'importe qui peut nager hardiment lorsque la marée est favorable. Dans le présent chapitre, il est question d'apprendre à nager audacieusement indépendamment de la marée. Voici les marques d'une attitude qui reflète un succès authentique.

1) Opérez du haut de votre baril

Nous sommes tous comparables à un baril où s'entremêlent nos bonnes intentions et nos bonnes expériences, nos moins bonnes intentions et nos moins bonnes expériences. Nous sommes une combinaison de bons et de moins bons éléments, un baril de crème et de pierres. La crème, qui est la meilleure partie de nous, monte à la surface tandis que les pierres, qui sont la moins bonne partie de nous, s'installent au fond. Toute personne dont l'attitude reflète un succès authentique apprend à opérer du haut de son baril, pas du fond de celui-ci.

On peut connaître un certain degré de succès, mais cependant perdre du temps à fonctionner depuis le fond de son baril. C'est ce que l'on fait lorsqu'on est motivé par son insécurité, son orgueil, sa colère, son désir de « vengeance » ou son besoin viscéral de reconnaissance des autres. On se trouve des excuses, on blâme les autres, on porte des jugements catégoriques et l'on se laisse ronger par soi-même et par la crainte : ce sont là les signes que l'on fonctionne à partir de la moins bonne partie de soi.

Si vous voulez progresser davantage, il faut vous discipliner, changer et vous élever jusqu'en haut de votre baril. Engagez-vous auprès de la meilleure partie de vous-même à fonctionner depuis ce niveau où l'orgueil, l'insécurité et les autres tendances improductives ont été bannis.

2) Que vos paroles vous valorisent au lieu de vous déprécier

Lorsque les agents de la paix arrêtent quelqu'un, ils sont tenus de l'informer des droits de Miranda qui commencent par «le droit de garder le silence». Pourquoi cela? Parce que, par nature bafouilleur, l'homme a tendance à se mettre dans l'embarras. Après avoir pendant des années écouté des gens parler, j'en suis venu à la conclusion que plus nous parlons, plus nos paroles risquent de nous incriminer.

Selon le proverbe, la langue a plein pouvoir sur la vie et la mort. Autrement dit, nos paroles peuvent donner la vie ou la retirer. Nos paroles nous valorisent ou au contraire nous déprécient. Nos paroles créent une occasion ou au contraire nous ferment des portes. Par conséquent, pour l'amour de Dieu, parlez de façon à vous valoriser tandis que vous affrontez l'avenir.

Lorsque vous faites face à un défi, «discutez la réponse» plutôt que de «discuter le problème». Selon mon expérience, en discutant le problème, on le ravive, on le maintient en vie et on lui accorde une place primordiale dans son esprit.

> « *Si vos sentiments vous tiennent à cœur, parlez de vos difficultés, mais si votre avenir vous tient à cœur, gardez-les pour vous.* »
> (traduction libre)
> — *Gregory Dickow*

> *Les personnes prospères ne doivent jamais se comporter de façon répréhensible.*

On éprouve un certain soulagement cathartique à partager ses dilemmes, mais il faut prendre soin de bien choisir son interlocuteur. En effet, si vous vous adressez à la mauvaise personne, vous allez passer pour un geignard et un pleurnicheur. Si vous parlez de vos défis à quelqu'un qui n'est pas passé par là, son manque de sensibilité ne fera que vous frustrer davantage, et si vous les partagez avec une personne qui n'a pas les ressources nécessaires pour vous aider ou qui n'y est pas disposée, vous vous apprêtez à retomber au fond de votre baril. Gergory Dickow, hôte du programme *Changing Your Life,* résume cela ainsi : « Si vos sentiments vous tiennent à cœur, parlez de vos difficultés, mais si votre avenir vous tient à cœur, gardez-les pour vous. » (traduction libre)

Je ne vous dis pas de nier l'existence de vos problèmes. Ce serait un déni de la réalité, ce qui en plus d'être malsain du point de vue psychologique peut mener à la dépression nerveuse. Chacun a ses propres montagnes à gravir. Ce qui distingue les personnes fortes des personnes faibles, c'est leur façon de les approcher. Parler DE ses montagnes ne fait que les amplifier tandis que s'adresser directement À elles peut les atténuer (à condition de leur dire ce qu'il faut!). Les gens dont l'attitude reflète un succès authentique passent davantage de temps à s'adresser à leurs montagnes qu'à en parler.

Ne laissez pas vos paroles vous déprécier. Lorsque vous dites à quelqu'un « Faisons quelque chose ensemble » mais que vous ne faites rien, ce ne sont que de vaines paroles. De telles paroles vous déprécient. Mieux vaut ne rien dire que de dire quelque chose qui vous déprécie.

Pour remodeler votre vie à l'image de la réussite, il vous faut bannir de votre vocabulaire le langage asocial (les jurons et les imprécations). Si le fait de lancer à l'occasion un mot dur peut ajouter de la couleur à votre discours et avoir un certain effet, ce n'est pas le meilleur moyen de communiquer. Les personnes prospères ne doivent jamais se comporter de façon répréhensible.

Il y a de cela quelques années, j'avais été invité à titre de conférencier à une manifestation commerciale importante. J'étais excité parce que l'un des autres intervenants était un homme de renom dont j'avais lu les livres et admiré les présentations à l'émission d'Oprah. Aussi, la chance de passer du temps dans les coulisses en sa compagnie était pour moi un rêve devenu réalité. Or tout au long de notre discussion, il ne cessa de blasphémer. C'était triste de le voir se déprécier à coups de gros mots. Peut-être quelqu'un d'autre l'aurait-il apprécié davantage pour sa façon de parler, mais je ne pus quant à moi m'empêcher de l'en apprécier moins. Le langage grossier peut davantage vous nuire que vous aider.

3) Laissez-vous presser tant que l'huile ne se sera pas mise à couler

Pour arriver à prononcer un discours positif, il faut bien plus que de savoir parler d'une façon positive. Pour parler couramment le langage du succès, il faut que celui-ci vienne du fond de votre expérience d'être humain; faute de quoi, tout ce que vous faites, c'est de la propagande positive à l'aide d'un porte-voix. Le discours sur le succès le plus puissant prend forme au plus profond de votre âme où il se développe. Or, on n'en arrive là qu'en se laissant presser par la vie jusqu'à ce que l'huile se mette à couler. Je m'explique,

Avez-vous déjà entendu parler un orateur qui avait ce petit quelque chose en plus ? Ce à quoi je fais allusion est difficile à définir, mais vous savez sûrement de quoi je parle. Les personnes qui en sont gratifiées se distinguent des autres par l'aisance et l'autorité qui se dégagent de leur discours. Elles ne cherchent pas à faire bonne impression. C'est inutile car leur charisme s'en charge, un peu à la façon d'une sauce sur un mets.

Jentzen Franklin, lui-même un grand communicateur, confia que lors de ses débuts en tant que conférencier, il se demandait en regardant ceux qui avaient ce charisme comment ils se l'étaient procuré et se posait un tas de questions. Comment en étaient-ils arrivés là ? Quels livres avaient-ils lus ? Quelles écoles avaient-ils fréquentées ? Ce n'est que lorsqu'il le sentit monter en lui qu'il sut la réponse. Le charisme ne vient pas à force de lire des livres ou de fréquenter des écoles ou des séminaires précis, mais on le développe en s'engageant dans la presse de la vie et en se laissant presser jusqu'à ce que l'huile se mette à couler.

Le charisme finit par émerger lorsqu'on maintient son cap en dépit des difficultés, des défaites et de la reconnaissance de sa propre incompétence ; lorsqu'on reste déterminé, même quand toutes les fibres de son corps demandent pitié ; lorsque malgré les flammes et les torrents, on continue d'avancer plutôt que de renoncer ; c'est alors qu'on sent le charisme monter en soi.

Les gens, comme les olives, ne donnent d'huile que lorsqu'ils sont pressés. Vous pouvez conduire une voiture de luxe, posséder une belle grosse maison garnie de meubles dernier cri, porter des bijoux dignes de l'élite et les plus beaux vêtements, si vous n'arrêtez pas de vous dégager de la presse chaque fois que vous rencontrez des difficultés, il vous manquera toujours cette huile nécessaire à un succès authentique.

Bien des gens donnent une bonne première impression, mais si vous grattez un peu, vous découvrez un esprit non formé, misérable et sujet à la résignation. Oui, nous vivons dans un monde où il est possible de mener sa vie pendant quelque temps en suivant l'exemple d'Enron. Cependant, dès l'apparition de conditions difficiles, on est invariablement éclipsé par une olive humaine ! Souhaitez-vous avoir l'attitude d'une personne vraiment prospère ? Si c'est le cas, engagez-vous dans la presse de la vie et restez-y jusqu'à ce que l'huile se mette à couler.

> *Les gens, comme les olives, ne donnent d'huile que lorsqu'ils sont pressés.*

4) Soyez optimiste

Récemment, je m'entretenais lors d'une conférence avec Rudy Ruettiger qui parlait de jouer au football américain pour l'équipe de Notre-Dame et puis de convaincre TriStar Pictures de faire un film sur sa vie. En se basant sur son expérience, Rudy conclut que nous nous prenons trop au sérieux et les autres trop personnellement. Son défi : faire preuve d'optimisme ! En vertu de tout ce qu'il a accompli, je prends quant à moi ses paroles au sérieux !

Nous sommes de nature à nous malmener et à laisser la vie faire de même, nous laissant tout autre qu'optimistes. Si vous voulez refléter un succès authentique, vous devez prendre les mesures nécessaires pour chasser vos insécurités, cesser de tout ramener à vous et de craindre l'opinion qu'ont les autres de votre personne. Ces mauvaises habitudes font de vous une personne apathique et érodent votre attitude de succès. Il est possible que vous ne vous en rendiez pas compte, mais les autres s'en aperçoivent et c'est pourquoi les occasions vous passent souvent sous le nez.

> *Si ce mal qui tend à faire de vous une personne timorée est remédiable, remédiez-y ; sinon, maîtrisez-le.*

Si ce mal qui tend à faire de vous une personne timorée est remédiable, remédiez-y ; sinon, maîtrisez-le mais ne privez pas le monde de votre moi optimiste. Et ne laissez pas passer une foule d'occasions parce que vous traînez derrière vous votre moi morose.

Réglez le cadran de votre caractère à la fonction enthousiasme et soudez-le dans cette position. Certaines personnes arrivent à être optimistes, mais ont du mal à le rester. Un optimisme à mi-temps n'est guère préférable à un caractère morose à temps plein. Le succès fait de vous un chef potentiel, mais lorsque votre enthousiasme n'est que saisonnier, les autres ne peuvent pas vous suivre car ils n'arrivent pas à emboîter le pas aux hauts et aux bas de votre tempérament.

Efforcez-vous d'être toujours optimiste, en saison, hors saison et entre les saisons. Ancrez dans votre esprit le dicton selon lequel le pouvoir n'appartient pas aux personnes moroses. Si vous voulez que la substance et la force soient les marques de votre attitude de succès, adoptez une nature optimiste en permanence.

> *Lorsque votre enthousiasme n'est que saisonnier, les autres ne peuvent pas vous suivre car ils n'arrivent pas à emboîter le pas aux hauts et aux bas de votre tempérament.*

5) Faites-le pour vous améliorer, pas pour impressionner

Qui de nous ne s'est jamais efforcé de faire quelque chose de remarquable dans le but d'impressionner quelqu'un ?

On peut souvent marquer de brillantes victoires en cherchant à obtenir la faveur et l'approbation des autres. Si cela est sans doute mieux que de n'être pas du tout motivé, ce n'est pas la meilleure forme de motivation.

En effet, le fait d'améliorer sa vie dans l'espoir de gagner (ou de reconquérir) l'affection de quelqu'un présente des inconvénients. D'abord, vous risquez de voir votre victoire se teinter de déception si les personnes que vous cherchez à impressionner sont ambivalentes quant aux résultats. Deuxièmement, et plus important encore, si vous êtes motivé par un

> *Si vous êtes motivé par un besoin d'approbation, jamais vous ne connaîtrez la sérénité.*

besoin d'approbation, jamais vous ne connaîtrez la sérénité. Si vous ne vous suffisez pas tel que vous êtes, jamais vous ne vous suffirez. Il vous faudra toujours chercher la preuve de votre valeur auprès d'une autre personne, d'une autre association ou d'un autre organisme.

Cela revient à dire qu'il faut vous accepter tel que vous êtes et seulement alors chercher à vous améliorer. Fait ironique, en agissant ainsi vous ne manquerez pas de faire impression sur certaines personnes. Mais voyez ce résultat plutôt comme un bonus que comme une absolue nécessité.

6) Libérez-vous de toute dette personnelle

Je traite de ce sujet en détail dans mon livre intitulé *Escape to Prosperity*. Rien de tel que le sentiment de vivre sa vie, libre de toute dette personnelle. Le fait d'être propriétaire de votre maison, de vos voitures et de tous vos autres biens personnels apportera force et substance à votre attitude de personne prospère. Vous comprendrez exactement ce que je veux dire lorsque vous aurez réglé le dernier paiement de votre prêt hypothécaire à l'habitation. Du fait que l'on n'est plus redevable, on traverse le labyrinthe de la vie la tête plus haute et l'air plus assuré.

7) Créez vos propres facteurs de succès

J'ai entendu dire récemment que pour être heureux, il faut posséder plus ou se contenter de moins. Nous ne pouvons ignorer la vérité de cette assertion. Lorsque tout a été dit, la plupart des agences publicitaires visent à créer en nous un sentiment d'insatisfaction. Comment autrement nous inciter à acheter tous ces produits si ce n'est en nous convainquant que sans eux, nous ne pouvons être heureux?

Je ne vais pas faire le procès de la consommation ni me faire l'avocat de la simplicité volontaire si cela est pour vous une excuse de ne pas avancer hardiment dans la direction de votre potentiel. Ce que je dis, c'est que vous devez établir votre propre définition du succès et non laisser le monde de la publicité le faire pour vous. Voici pourquoi.

Disons que vous avez les moyens d'acheter tous les produits dernier cri possibles. Vous vous procurez ce qu'il y a de mieux dans tous les rayons, qu'il s'agisse de bagues à diamants, d'ustensiles de cuisine, de vêtements, de voitures, de maisons, de cours, d'avions, de bateaux, de gadgets ou de chèvres. Une fois que vous avez terminé vos achats, combien de temps croyez-vous que les industriels vous laisseront tranquille? Juste le temps d'inventer quelque chose de mieux, c'est-à-dire très peu de temps, étant donné la vitesse à laquelle va la technologie de nos jours.

Les personnes dont l'attitude reflète un succès authentique ne répudient pas le fait d'«acheter des produits améliorés», mais refusent simplement de se laisser intimider par le marché qui cherche à leur faire croire que sans eux, elles valent moins. Elles établissent leurs propres facteurs de succès en fonction de leurs propres objectifs d'avancement personnel. Elles ne se laissent pas emporter par les tendances du succès, mais font des choix éclairés qui correspondent à leurs principes de vie.

8) Retrouvez votre poids idéal

Dans la présente section, je m'adresse aux personnes qui souffrent de surcharge pondérale. Vous les asperges qui ne connaissez pas ce problème, vous pouvez sautiller gracieusement jusqu'à la prochaine section !

J'admets que c'est là que la vie est injuste. Certaines personnes peuvent manger tout ce qu'elles veulent, quand elles en ont envie, sans jamais prendre le moindre milligramme. Pour d'autres, il suffit de passer devant une boulangerie et de humer l'arôme qui s'en dégage pour prendre du poids. Cette situation fâcheuse est empirée du fait que notre métabolisme ralentit avec l'âge. Il est ironique de penser qu'alors que nos budgets nous permettent enfin des aliments riches, notre corps ne nous les permet plus. Aussi, chaque fois que notre tour de taille augmente, notre potentiel de succès diminue.

Il est ironique de penser qu'alors que nos budgets nous permettent enfin des aliments riches, notre corps ne nous les permet plus.

Il est plus facile de parler, de s'habiller et de marcher à grandes enjambées comme une personne prospère lorsqu'on affiche un poids idéal. Je peux en témoigner par expérience. Jamais je n'avais pensé que j'avais un problème de poids ; je me croyais simplement un peu enveloppé. Mon médecin n'était cependant pas de mon avis. Il voyait mes excès comme des offensives sérieuses contre mes organes internes. Mon avenir était littéralement en jeu. Pour la première fois de ma vie, je me mis à calculer combien je devrais peser en fonction de ma taille. Il me fallut six mois pour retrouver mon poids idéal, que je ne me connaissais plus depuis quinze ans. Cela aura été le principal facteur de ma métamorphose vers le succès.

9) Soyez ponctuel

Vous connaissez bien le sentiment d'être à l'heure ou au contraire en retard. Les minutes qui précèdent ou qui suivent l'heure fixée changent tout dans votre façon de vous comporter. Il est difficile de marcher la tête haute en arborant une attitude de succès lorsque la première chose que l'on dit à la personne avec qui l'on a rendez-vous c'est «Désolé d'être en retard».

10) Soyez riche en temps

Nous vivons à une époque où l'on porte comme un insigne honorifique le fait d'être occupé. Lorsqu'on dit à quelqu'un «Je sais que vous êtes très pris» on entend par là «Vous êtes plus prospère que moi et je vous tire mon chapeau». Le fait d'être occupé est devenu un mode de vie tellement accepté que l'on excuse le manque de considération et de savoir-vivre sous prétexte que l'«on est occupé».

Mener une vie mouvementée sans jamais s'arrêter n'est pas un signe de succès. Cela indique simplement que vous ne savez pas gérer votre vie. Si vous voulez adopter une attitude de succès authentique, soyez riche en temps. En qualité de chef de votre propre vie, faites preuve d'assez de bon sens pour vous réserver des moments où, indifférent à notre culture moderne, vous vous laissez aller dans le farniente. C'est là le nouveau symbole du succès. Portez-le avec fierté. Qui sait, vous pourriez bien redécouvrir l'art perdu de la contemplation et de la réflexion, deux facteurs puissants du développement personnel.

11) Prenez une assurance intégrité

De temps à autre, j'entends des orateurs prêcher les vertus de l'intégrité qui serait selon eux essentielle au succès. Mais laissez-moi vous dire ce qu'il en est vraiment. L'intégrité à elle seule ne vous apportera pas le succès qui nécessite bien d'autres éléments. Elle suffit cependant à maintenir votre succès. Les murs de la compagnie Enron étaient couverts de diplômes de Harvard et de Wharton, mais faute d'intégrité, ces murs furent détruits.

> *« Ce qui compte, ce n'est pas la hauteur à laquelle vous sautez, mais votre aisance à marcher droit lorsque vous retombez sur vos pieds. Voilà l'essentiel du succès. »* (traduction libre) *— Dr Jim Reeve*

Pour avoir une attitude de succès authentique, il faut s'engager personnellement à faire preuve d'intégrité. Sans un sens d'honnêteté et de droiture, aucun succès ne peut être durable. Prenez une assurance intégrité. Bien des facteurs peuvent modifier le paysage de votre succès, mais si votre intégrité reste intacte, vous afficherez toujours une attitude de succès authentique. Cette idée est on ne peut mieux rendue par le Dr Jim Reeve selon qui « Ce qui compte, ce n'est pas la hauteur à laquelle vous sautez, mais votre aisance à marcher droit lorsque vous retombez sur vos pieds. Voilà l'essentiel du succès. » (traduction libre).

Tenez votre charge d'énergie

Cela faisait un bout de temps que je n'avais pas sorti ma Harley-Davidson. Samedi dernier donc, je m'habillai en vue de faire un tour sur l'autoroute. Tournant la clé dans l'interrupteur d'allumage, je fus accueilli par le son plaintif d'un démarreur insuffisamment alimenté par la batterie. Le moteur fit un ou deux tours sans toutefois réussir à capter l'énergie nécessaire pour démarrer. Le moteur restant sans vie, mon espoir d'aller faire un tour en moto mourut sur le coup.

Je dus donc troquer mon casque de cycliste contre mes outils de mécanicien. Ayant consulté le guide du propriétaire, je m'aperçus que je pouvais relancer la batterie au moyen d'une autre batterie de douze volts. Ainsi, en la branchant à celle de ma voiture, je réussis à faire démarrer le moteur de ma moto. Je savais par expérience que ce résultat ne serait que provisoire si la batterie n'était pas en mesure de tenir la charge électrique qu'elle recevait du moteur en marche. La meilleure façon de le savoir, c'était d'aller faire un tour en moto.

Comme je le craignais, à la suite de cette sortie, la batterie ne donna aucun signe d'amélioration. Il était clair qu'elle n'était pas en mesure de tenir sa charge électrique. La solution à cela? Soit la recharger de la même façon chaque fois que je voulais

> *Bien des gens peuvent être rechargés dans des conditions favorables. Cependant, pour mener efficacement sa vie, il faut être capable de « tenir sa charge » dans des conditions moins favorables.*

un peu d'action sur deux roues, soit me procurer une nouvelle batterie, une qui soit capable de tenir sa charge.

Les gens sont comme des batteries de véhicules, soit capables de tenir une charge, soit constamment obligés d'être rechargés. Autrement dit, ils savent se motiver eux-mêmes ou doivent compter sur quelqu'un pour les aider à faire ce qu'ils ont à faire.

À titre de conférencier spécialiste de la motivation, j'ai passé des années à persuader les gens à apporter des changements positifs à leur vie. De fait, je me promène toujours avec une série de « câbles de démarrage » psychologiques. Si quelqu'un se trouve en manque d'énergie, je m'efforce de lui en redonner et de lui indiquer la bonne direction. Je sais qu'un discours d'une heure, que le mot approprié dit à point peut lui profiter pour le restant de sa vie. Le message motivationnel est un puissant outil capable d'engendrer le changement. Mais j'en connais aussi les limites.

Quoique l'on puisse transformer en un instant les personnes réunies dans une pièce, je demeure réaliste quant à la portée de ce changement. En effet, si la plupart peuvent être influencées positivement à ce moment-là, seulement certaines d'entre elles peuvent traduire l'effet de cet instant en quelque chose de durable. Bien des gens peuvent être rechargés dans des conditions favorables. Cependant, pour mener efficacement sa vie, il faut être capable de « tenir la charge » dans de moins bonnes conditions. En effet, il est facile de prendre des décisions positives dans un environnement inspirant ; cependant, c'est votre capacité d'être fidèle à vos bonnes résolutions en dehors de celui-ci qui définit votre véritable caractère.

Bien des gens prétendent que leur batterie est rechargée après un discours, une réunion, un séminaire ou une convention. Cependant, des semaines et des mois plus tard, reste-t-il en eux quelque trace de cette charge ? Certes, ils l'ont reçue mais ont-ils pu la tenir ? Peuvent-ils retenir l'énergie transmise par les câbles de démarrage dans le moteur de leur vie ? Il est normal qu'une certaine part de l'énergie se dissipe après l'« événement », mais les personnes qui peuvent tenir leur charge le plus longtemps sont celles qui réussissent à influencer l'avenir en leur faveur.

Comment augmenter sa capacité de tenir une charge ? Parfois il suffit d'une présentation ou d'une séance d'orientation. D'autres fois, il faut recourir à un entraînement à long terme sous l'œil vigilant d'un mentor. En fin de compte, cette faculté est souvent le résultat d'une combinaison d'inspiration et d'apprentissage.

Bayless Conley est l'un des plus grands entraîneurs psychologiques du monde entier. Tandis que je mangeais en sa compagnie récemment, il évoqua l'analogie suivante : un conférencier spécialiste de la motivation est comme un bûcheron professionnel qui se présenterait dans un village armé de tronçonneuses et d'abatteuses toutes plus impressionnantes les unes que les autres. Ayant eu vent de cette visite inattendue, les habitants viennent assister au spectacle. Ayant choisi l'arbre idéal, le bûcheron se prépare à déployer ses talents. Tandis qu'il fait des prouesses avec une tronçonneuse, la foule retient son souffle. Avec un son de crécelle, les dents de la scie s'enfoncent dans les entrailles de l'arbre. Le bûcheron coupe le tronc avec une facilité qui ne manque pas d'impressionner tout son public. Les habitants sont ravis par ce spectacle d'étincelles et de copeaux de bois qui volent de toutes parts.

Le géant finit par pencher puis, après quelques sinistres craquements, s'effondre et atterrit avec fracas exactement à l'emplacement prévu. Tandis que le nuage de poussière et l'excitation de la foule se dissipent, le bûcheron rassemble son équipement. S'étant épousseté de la main comme il l'a fait des milliers de fois auparavant, il ramasse ses outils et prend la direction du village voisin. Mais tandis qu'il traverse la foule admirative, il se tourne vers le charpentier du village et lui dit : « Eh bien, à toi maintenant d'en faire des meubles ! »

Dans la culture actuelle, on idolâtre les bûcherons. On accorde une attention particulière aux personnes qui savent distraire et qui sont convaincantes. Le bûcheron peut procurer un effet maximum en « une seule séance ». Il n'y a pas de doute, il joue un rôle important dans le cadre de notre vie. Cependant, le charpentier n'est pas moins indispensable. C'est lui qui, à partir du bois que lui donne le bûcheron, grâce à un travail méthodique, fabrique un produit durable.

> *« Eh bien, à toi maintenant d'en faire des meubles ! »*

Pour augmenter votre capacité de tenir une charge, vous avez besoin à la fois de l'influence du bûcheron et du charpentier ; il vous faut quelqu'un qui puisse vous donner l'inspiration en une seule séance et quelqu'un qui puisse vous former au fil du temps. Si vous voulez aider les autres à tenir leur charge, assurez-vous qu'ils ont l'inspiration et la formation. Voici quelques moyens de maintenir votre charge d'énergie.

1) On peut tenir sa charge lorsqu'on est soutenu par une vision

Bob Taylor rêvait de fabriquer des guitares. À l'heure actuelle, les guitares de la marque Taylor occupent la première place parmi les guitares acoustiques du monde entier. Il y a de cela quelque temps, j'ai visité le siège social de cette compagnie. Dans une vitrine de la salle d'exposition se trouve une superbe guitare. Même pour les profanes, il s'agit là d'un instrument d'une grande beauté dont les incrustations en nacre de la frette, loin d'être conformes aux décorations de guitare traditionnelles, représentent un chariot élévateur à fourche!

En effet, dans les années 1995, ayant trouvé une affreuse palette d'expédition de bois d'œuvre abandonnée derrière son usine, Bob Taylor avait pris la résolution de la transformer en une belle guitare. Et c'est ce qu'il fit, au grand ébahissement de tous. Son objectif était de s'amuser, mais aussi de faire valoir un point de vue: prouver que ce qui fait une bonne guitare, ce n'est pas tant le bois que sa conception et son artisan. Bob est un exemple vivant du fait que la grandeur est davantage fonction de la personne et de sa vision que des éléments en place.

Le lendemain de sa décision de fabriquer sa «guitare-palette», il n'eut pas besoin de se faire dire par sa femme

> *La grandeur est davantage fonction de la personne et de sa vision que des éléments en place.*

«Bob, lève-toi. Descends à l'atelier et travaille à ta guitare». Il n'eut pas besoin d'être rechargé. Il n'eut pas besoin qu'on lui rappelle son projet qui ne disparut pas dans l'abîme du «Un jour je le ferai». Sa vision du résultat final le maintenait chargé ct fidèle à sa tâche.

Tout le monde voyait en la palette un instrument d'expédition dont se servent les opérateurs de chariots élévateurs à fourche pour déplacer les chargements lourds. Mais lorsque Bob la regardait, il la voyait autrement: il voyait une magnifique guitare. Il travailla donc de façon méthodique afin de transformer son rêve en réalité. Si vous avez une vision claire et soutenue de ce que vous voulez accomplir, il vous sera plus facile de tenir votre charge.

2) On arrive à tenir sa charge dès que l'on réussit à être à l'aise avec son inconfort

S'il est essentiel d'avoir une vision claire, cela ne suffit pas. Bien trop de gens abandonnent leur vision à la première écharde. D'autres tolèrent de nombreuses échardes mais abandonnent à la première lacération. Le fait est que tout avancement requiert un certain degré d'inconfort et ce, pendant un bon moment. Pendant combien de temps, me demanderez-vous? Eh bien, imaginez une période de temps et multipliez-la par trois. À quel degré d'inconfort faut-il s'attendre? Imaginez cette fois un degré d'inconfort et multipliez-le par quatre. Si cela s'avère moins long et moins ardu que prévu, considérez-vous chanceux! Les seules personnes à être récompensées sont celles qui ont assez d'endurance pour réussir à franchir la barrière indissociable de tout avancement.

Comment développe-t-on son endurance ? Simplement en apprenant à être à l'aise avec son inconfort. Est-ce que cela signifie que pour progresser au niveau suivant, il faut vivre une vie inconfortable ? Oui, mais seulement au début, tant que ses sens ne se sont pas ajustés. Grandir est une opération douloureuse qui requiert que l'on largue certaines amarres qui ont servi jusqu'ici mais qui n'ont pas leur place dans notre nouveau monde. Cela revient à dire que si nous ne les larguons pas, elles nous emprisonnent.

> *Si pour vous le confort et le bonheur sont étroitement liés, vous êtes susceptible d'abandonner.*

La plupart des gens supportent l'inconfort dans l'espoir qu'il sera de courte durée. Ils s'accrochent, espérant connaître une percée rapide et ainsi retrouver le bonheur. Toutefois, si pour vous le confort et le bonheur sont étroitement liés, vous êtes susceptible d'abandonner. C'est un lien débilitant qui bloque tout avancement important dans la vie. La croissance devient alors indésirable du fait que l'on devient malheureux au sein de son inconfort.

> *Si vous pouvez ne rien dire mais laisser parler cette personne, son histoire ne manquera pas de révéler certains modèles de vie.*

Ce que la quête d'avancement a de bon, c'est qu'elle vous donne une certaine maturité d'esprit en vous incitant à trouver une base de bonheur plus substantielle que le confort. Il n'y a rien de tel que des conditions indésirables pour encourager votre esprit à chercher sérieusement un meilleur fondement du bonheur. Ainsi, lorsque le paysage change enfin à votre avantage, lorsque vous finissez par franchir la barrière et que vous atteignez finalement le niveau suivant, lorsque revient un certain confort, alors vous êtes heureux, mais non parce que vous comptiez sur ces facteurs pour retrouver le bonheur.

Les gens qui s'habituent à leur inconfort ont la capacité de toujours «être présents», indépendamment de leur état d'âme ou de leur situation actuelle. Ces personnes tiennent leur charge, car elles trouvent leur énergie dans les bienfaits de leur engagement plutôt que dans le confort.

3) On arrive à tenir sa charge lorsqu'on accorde de l'importance à son comportement «type»

Si vous demandez à quelqu'un de vous parler de son passé, il y a de fortes chances que vous puissiez juger son avenir à partir de ce qu'il vous raconte. À moins qu'une personne ne subisse une transformation radicale, le modèle de son passé se reporte souvent sur son avenir. C'est la raison pour laquelle une banque étudie le modèle financier d'un client avant de lui accorder un prêt. Votre caractère financier est davantage évalué en fonction de votre comportement financier passé que de votre salaire. Votre compte a beau être bien garni, la banque est surtout intéressée à savoir comment vous vous êtes procuré cet argent, si c'est à force d'économiser ou si vous l'avez reçu en cadeau.

Il suffit de dire que les banques sont plus enclines à vous accorder un prêt si vous vous êtes créé un modèle d'économie.

Selon la logique de leurs dirigeants, si vous avez la discipline d'économiser, il est fort probable que vous aurez la discipline de rembourser vos prêts. Par contre, si vous avez reçu une grosse somme d'argent en cadeau, rien ne prouve à un directeur de banque que vous êtes en mesure d'assumer la responsabilité de remboursements. Lorsqu'on vous évalue en vue d'un prêt, on accorde une place importante à votre modèle financier à long terme. On ne va pas vous prêter de l'argent simplement parce que vous avez pris au Nouvel An la résolution de rembourser !

Le modèle de vie d'une personne est un élément déterminant de son avancement ou au contraire de l'absence de celui-ci. Brian Houston, fondateur de Hillsong, une entreprise extrêmement prospère, affirme que les organismes les plus puissants sont ceux qui suivent un cours régulier. Or que ce soit individuellement ou en tant qu'entreprise, suivre un cours régulier nécessite la capacité de tenir sa charge contre vents et bien des marées !

> *Un modèle de vie cohérent constitue l'une des meilleures preuves de caractère.*

Lorsque quelqu'un vient vous trouver pour vous faire part d'une «idée géniale», vous devez commencer par évaluer non pas l'idée mais la personne en question. Renseignez-vous sur elle. Si vous pouvez ne rien dire mais la laisser parler, son histoire ne manquera pas de révéler certains modèles de vie qui sauront valider ses idées ou au contraire les discréditer.

Pour progresser, vous avez besoin de l'aide des autres, en particulier des personnes qui sont là où vous voulez être. À leur tour, celles-ci évalueront votre demande d'aide en

> *On ne va pas vous prêter de l'argent simplement parce que vous avez pris au Nouvel An la résolution de rembourser!*

fonction de vos modèles de vie. Il faut éviter à tout prix que votre histoire reflète une vie erratique, car cela donne l'impression que votre capacité de tenir une charge est limitée.

Un modèle de vie cohérent constitue l'une des meilleures preuves de caractère. En développant votre capacité de tenir une charge sans dépendre des «bonnes conditions», vous apportez de la cohérence à votre vie. Cela vous valorise aux yeux des autres et vous assure une meilleure crédibilité. Comme le montre le graphe suivant, l'enthousiasme et la cohérence améliorent l'opinion qu'ont les autres de vous. Or plus la perception de ces derniers augmente favorablement, plus les occasions d'avancement se multiplient.

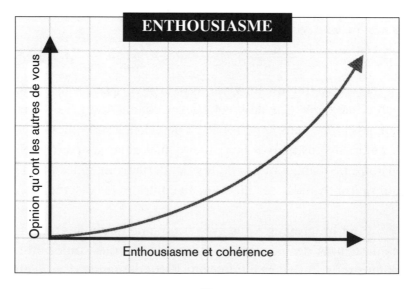

Si vous voulez progresser dans la vie, mais ne savez pas trop dans quelle direction vous diriger, suivez ce conseil : apportez votre contribution où que vous soyez, à l'instant présent. Résistez à la tentation d'être inconstant. Il y aura des moments de votre vie où vous devrez passer à autre chose, mais si vous le faites trop souvent, votre histoire reflètera de l'incohérence, ce qui nuira à votre avenir. Les occasions extraordinaires ne viennent pas naturellement aux personnes inconstantes. Faites en sorte que l'on puisse vous reconnaître entre autre comme une personne capable de tenir sa charge.

4) On peut tenir sa charge lorsqu'on s'approvisionne de façon méthodique

Il arrive qu'une batterie de voiture tienne mal sa charge parce qu'elle manque d'électrolyte (eau). Si elle n'est pas irréparable, on peut lui redonner sa propriété de tenue de charge en lui ajoutant le liquide nécessaire et en la rechargeant. Les gens sont pareils. Il y aura des moments où vous aurez du mal à vous motiver à aller au-devant d'une meilleure vie. Vous serez épuisé et aurez besoin d'une forme quelconque d'inspiration (électrolyte) qui peut prendre la forme de repos, de vacances, de consultation, de livres, d'apprentissage, de conférences ou de voyages. À vous de savoir reconnaître les moments où vous avez besoin de « faire le plein » et de recharger votre batterie.

Lorsqu'il s'agit de la tenue de charge des autres, nous avons raison de reconnaître que certaines personnes vont d'une recharge à une autre, mais ne veulent jamais vraiment tenir leur charge. Elles n'ont pas la discipline de se réapprovisionner en électrolyte. Lorsqu'elles en sentent le besoin, elles aiment se procurer un regain d'énergie auprès de vous

> *N'abaissez pas les normes de votre vie ou de votre entreprise pour faire plaisir aux personnes qui manquent d'engagement.*

ou de n'importe quelle bonne âme! Vous pouvez vous éviter bien des désagréments et des frustrations en sachant reconnaître d'emblée les personnes à qui il manque simplement un peu d'électrolyte et celles qui n'ont aucune intention de tenir leur propre charge. On ne peut certes créer une équipe ou une amitié avec ces dernières.

J'admire la sagesse de T.D. Jakes lorsqu'il dit ceci : «Plus souvent qu'autrement, nous nous servons de notre optimisme ou d'une forme de persuasion pour contraindre les autres à accepter nos buts et nos objectifs. Vous ne pouvez cependant pas les faire profiter de votre énergie ou devenir plus qu'ils ne sont, juste parce que vous croyez en eux. Ils doivent eux-mêmes avoir confiance pour faire face aux nombreux défis qui bordent immanquablement le chemin de la réussite. C'est souvent un mauvais signe que d'être obligé de les recharger tous les jours. Comme une voiture dont la batterie est à sec, s'ils ne tiennent pas leur charge, cela peut indiquer un problème plus grave. Rappelez-vous que vous pourriez être obligé de motiver tout au long de la route quelqu'un dont la batterie doit être sans cesse rechargée.» (traduction libre)

5) On peut tenir sa charge lorsqu'on effectue parfaitement même les tâches inférieures

Si quelqu'un vise une position de choix au sein de mon organisme, je lui donne toujours pour commencer une tâche moindre, une tâche inférieure et peu prestigieuse. C'est la meilleure façon de mettre à l'épreuve son véritable caractère. Je sais par expérience que certaines personnes veulent devenir spontanément des bûcherons. J'ai acquis de la sagesse dans ce domaine, ayant déjà commis l'erreur de donner des postes de bûcherons à des personnes dont je n'avais pas évalué au préalable la capacité de tenir leur charge.

Par les temps qui courent, je cherche des gens capables de voir le potentiel d'un vieux bout de bois et de le transformer avec enthousiasme en quelque chose d'utile. Il y a des tas de gens qui ont un excellent esprit de charpentier. Ils sont moins épris de l'idée d'être admirés et plus emballés à la perspective de construire quelque chose qui puisse servir aux générations futures. J'ai la chance d'en compter un grand nombre dans mon équipe. Certains sont en voie de devenir des bûcherons de calibre mondial !

N'abaissez pas les normes de votre vie ou de votre entreprise pour faire plaisir aux personnes qui manquent d'engagement. Mieux vaut les laisser aller, même si vous en souffrez dans un premier temps. Couper des relations qui refusent de guérir n'est jamais à votre détriment. Ce faisant, vous faites de la place aux personnes capables de hausser la qualité de votre vie par leur excellence et leur fiabilité.

Du succès individuel au succès d'équipe

L es relations restent plus importantes que le succès. Cependant, le fait de combiner les deux est une façon géniale de vivre le meilleur des deux mondes. Si le succès personnel vaut mieux que l'absence de croissance personnelle, le succès de l'équipe est bien le comble du succès.

Lorsqu'on se lance dans la vie, il est déjà difficile d'enfourcher son propre cheval. On cherche avant tout à survivre. Ayant réussi, on s'aperçoit qu'il ne suffit pas dans la vie de faire cavalier seul. En effet, on pressent la raison d'être de son succès : pouvoir aider les autres à monter en selle afin de poursuivre ensemble la route de la prospérité.

Dans l'ordre naturel des choses, le succès individuel se présente tôt ou tard dans le succès d'équipe. Il arrive un moment où tout nouvel avancement personnel ne peut passer que par la collectivité. En conclusion d'une étude de psychologie, le Dr David Niven écrivit que les personnes qui reconnaissent la nature interdépendante de la vie, l'importance des relations humaines et notre existence collective, se sont avérées deux fois plus aptes à se considérer prospères que celles qui avaient des vues entièrement individualistes. Le fait de mener une équipe vers le succès vous fera progresser dans la vie bien au-delà de ce que vous pouvez accomplir tout seul. En ce qui concerne la théorie du Dr Niven, l'avancement collectif procure un sentiment de prospérité plus grand que l'avancement personnel.

Un certain élément intrinsèque à la nature humaine rend le succès plus significatif dans le contexte d'une équipe. Le politicologue de Harvard, Robert D. Putnam, définit ce qu'il considère une crise grave de notre temps : le déclin des activités de groupe. Dans son livre intitulé *Bowling Alone*, il conseille vivement à ses lecteurs de laisser leurs ordinateurs et de se joindre à un groupe. L'individualisme selon lui nous prive de bonheur, de santé et de sagesse.

> *Le fait de mener une équipe vers le succès vous fera progresser dans la vie bien au-delà de ce que vous pouvez accomplir tout seul.*

On ressent un plus grand sentiment de joie et de succès dans un contexte d'équipe. L'avancement collectif rend effectivement plus heureux et nous assure une meilleure santé et une plus grande sagesse. Comme l'a dit quelqu'un assez à propos, le succès est plus doux et l'échec plus facile à digérer lorsqu'on est entouré.

> *Un certain niveau d'avancement personnel ne peut être atteint que dans un contexte de leadership.*

Si le fait de passer d'un succès individuel à un succès collectif présente des avantages, il pose aussi des tas de nouveaux défis. Il vous arrivera de regretter les jours plus simples où vous n'aviez qu'à vous préoccuper de vous. Dès que l'on ajoute d'autres personnes à une équation, les choses se compliquent.

Il y a de cela quelques années, nous fûmes invités par des amis à faire du camping. Pensant avoir tout le nécessaire, nous nous aperçûmes que nous n'avions pas apporté assez de bois de chauffage. Lorsque la nuit tomba, la température baissa au point où un feu de bois s'avéra essentiel, plus simplement pour créer une atmosphère mais pour éviter l'hypothermie !

Nous fouillâmes la forêt avoisinante en quête de bois mais ce fut en vain. Sans une hache et trois heures de lumière du jour devant moi, je ne pus faire mieux que de trouver un petit tas de cônes de pin séchés. En ayant jeté quelques-uns dans le feu, je jugeai ce combustible satisfaisant. Au bout de quelques tours dans la forêt, j'avais ramassé assez de cônes de pin pour entretenir le feu pendant plusieurs heures. La seule chose, c'est qu'à la fin de la soirée, j'étais couvert de sève. Je n'aurais embrassé personne pour lui souhaiter bonne nuit de peur qu'il ne reste collé à moi comme avec de la colle extra-forte !

En étant chef d'équipe, on se protège contre l'hypothermie de l'isolement. Une certaine forme de réchauffement de l'esprit humain ne peut avoir lieu que dans un contexte collectif. Cependant, lorsqu'on est chef d'équipe, il arrive que les circonstances deviennent gluantes. C'est la raison pour laquelle bien des gens compétents résistent à la progression naturelle d'avancement qui consiste à devenir chef d'équipe, car d'une certaine façon on s'attire ainsi des défis supplémentaires. Et comme on veut garder

> *On compte parmi les meilleurs chefs certains qui n'ont pas renoncé lorsqu'ils ont découvert qu'ils n'étaient pas des leaders nés.*

sa vie aussi simple que possible, on les évite, surtout si l'on a le choix.

Peut-on connaître la prospérité sans jamais être chef d'équipe ? Tout à fait. Cependant, un certain niveau d'avancement personnel ne peut être atteint que dans un contexte de leadership. Vous devrez certes faire face à de nouveaux défis, mais en définitive ils vous profiteront. La solution n'est pas d'éviter le leadership, mais d'acquérir les aptitudes, la sagesse et l'endurance nécessaires pour mener une équipe dynamique malgré les circonstances gluantes qui peuvent parfois se manifester.

Construire une équipe

Il est plus long de mélanger les gens que d'assembler deux morceaux de bois. Il faut du temps à une équipe ou à un organisme pour créer sa propre culture et la maintenir. Les gens ont besoin de temps pour comprendre celle-ci, l'assimiler et s'y engager. Le temps se charge de l'affinage. Le temps vous permet de vous rendre compte de vos déficiences caractérielles, telles que le besoin de faire plaisir, et vous donne la chance d'y faire face. Le temps fait le tri des personnes qui devraient être dans votre équipe et de celles qui ne devraient pas y être.

À moins de partir sur une lancée providentielle, vous vous apercevrez que la constitution d'un groupe se fait lentement et requiert plus de temps que vous ne l'auriez souhaité. Et cela peut être frustrant. Mais il y a des avantages. Comme quelqu'un l'a dit un jour, un des principaux avantages que l'on peut tirer d'un début timide, c'est celui de pouvoir tirer la leçon de ses erreurs dans l'anonymat !

N'acceptez pas trop vite l'idée qu'il faille être né leader. En réalité, la plupart des leaders ont acquis leurs aptitudes. C'est peut-être la raison pour laquelle tant de chefs potentiels n'ont jamais dirigé d'équipe. Ils ont bien essayé une fois, ont trempé le doigt dans le leadership, mais l'ont retiré dès qu'ils ont senti quelque chose de gluant. Ils en sont donc venus à la conclusion qu'ils ne devaient pas être faits pour cela. Et c'est alors qu'ils ont baissé les bras et sont retournés à leurs propres affaires. Cela ne les empêche pas de mener efficacement leur vie, moins efficacement cependant que s'ils avaient persévéré malgré la glu. On compte parmi les meilleurs chefs certains qui n'ont pas renoncé lorsqu'ils ont découvert qu'ils n'étaient pas des leaders nés. Au lieu d'abandonner, ils ont étudié, découvert et incorporé les éléments manquants et sont ainsi devenus des leaders.

Se préparer à être critiqué

Dans le film intitulé *Le Parrain II*, le personnage de Michael Corleone joué par Al Pacino partage le conseil de son père : «Garde tes amis proches de toi, mais tes ennemis encore plus proches.» Lorsque j'ai entendu cela la première fois, je me suis dit que je n'avais pas d'ennemis. Je menais ma vie aussi bien que possible en faisant attention de n'offenser personne. Vraiment, je n'imaginais pas une seule personne qui me connût personnellement qui aurait pu me considérer comme un ennemi.

Toutefois, depuis que j'ai pris le leadership de ma propre entreprise, je peux vous garantir qu'il y a pas mal de personnes mécontentes de moi. Ce n'est pas parce que

> *Ayez la peau dure, mais pas le cœur endurci.*
> (traduction libre)
> — *Vance Havner*

mes fonctions de chef m'ont transformé en tyran apte à se faire des ennemis comme Vito ou Michael Corleone, mais je me suis rendu compte que lorsqu'on prend les rênes du leadership, on prête le flanc à la critique et ce qu'il y a de pire, c'est que la plupart du temps, celle-ci est bien méritée !

Un chef est pour les autres un exemple à suivre. Il lui arrive cependant, surtout en début de leadership, de se tromper et même de faire carrément fausse route. Par manque d'expérience et parce que personne n'est parfait, on commet des erreurs. Lorsqu'on suit tout seul la route de l'avancement, on subit généralement seul les conséquences de ses erreurs. Mais lorsqu'on construit une équipe, ces fautes ont des répercussions sur la vie des autres qui, blessés, peuvent vous en vouloir. Inutile de dire que c'est une expérience humiliante. C'est à ce moment-là que certains chefs abdiquent et reprennent leur ancienne vie. Toutefois, si l'on sait tirer parti de ses erreurs et que l'on continue d'aller de l'avant, on finit par s'en remettre. Si vous vous retrouvez dans la glu parce que vous n'avez pas la sagesse d'un chef, sachez que vous l'acquérrez à force de persévérance.

Si vos erreurs de chef peuvent vous attirer des critiques, il peut arriver que vous soyez ciblé uniquement en raison de votre titre. Peut-être n'avez-vous rien fait pour mériter d'être critiqué. Kevin Wilcock, chef d'équipe œuvrant en Australie, conseille aux leaders de ne pas prendre les choses personnellement. Selon lui, les gens peuvent se comporter comme des créatures d'habitude étranges et mettre la faute de n'importe quoi sur la personne la plus haut placée de leur connaissance. N'endossez pas systématiquement la faute. Il peut arriver que vous soyez plus critiqué en raison du poste que vous occupez que pour vos actions.

D'autre part votre décision de chef, même si elle est judicieuse, peut être en conflit avec les attentes d'une personne qui vous fait savoir qu'elle est blessée en vous adressant une insulte de son choix. C'est pourquoi le grand Vance Havner tant regretté affirmait que «Tout leader se doit d'avoir un esprit d'écolier, un cœur d'enfant et une peau de rhinocéros. Ayez la peau dure, mais pas le cœur endurci.» (traduction libre). Mener une équipe vers le succès est certes une expérience géniale, mais attendez-vous à devoir faire face à des circonstances gluantes. Montrez-vous un bon leader en dirigeant votre groupe à travers les écueils du travail d'équipe et rappelez-vous les bons conseils de Vance Havner.

Lorsqu'un membre quitte votre équipe

Simon McIntyre a aidé à monter plus de cent entreprises de par le monde. Je l'ai rencontré pour la première fois en 1985, alors qu'il n'en avait qu'une seule à son crédit. Au cours de notre conversation, parlant d'une de ses expériences de leader, il me dit une chose qui ne m'a pas quitté toutes ces années : «Pas tous les gens qui débutent avec vous restent avec vous.» M'ayant fait l'historique de sa compagnie, il me raconta que de tous les employés qui faisaient partie de l'organisme à ses débuts, il ne restait que quelques «rochers» cinq ans plus tard.

Au fil des ans, j'ai commis l'erreur de penser qu'un bon chef devrait pouvoir retenir tout son monde. En réalité, un bon leader arrive à maintenir le cap malgré toutes les allées et venues ! Les gens se joignent à une équipe et la quittent pour toutes sortes de raisons. Voici quelques-uns des

> *Un bon leader arrive à maintenir le cap malgré toutes les allées et venues !*

principaux motifs pour lesquels les gens se joignent à la vôtre et puis s'en vont !

N° 1 : la disponibilité des gens

Le fait que les gens soient disposés à se joindre à votre équipe devrait être votre premier signal. C'est une chose s'ils viennent de déménager dans votre région ou s'ils sont à un carrefour normal de leur vie. Mais certains viennent à vous parce qu'ils ont développé un sentiment négatif face à leur situation de vie précédente. Comment réagir en tant que chef d'équipe ? En souhaitant la bienvenue à tous. Nul besoin de faire de tri. La culture de votre équipe et le temps se chargeront de distinguer les membres sérieux des ouaouarons et des papillons.

N° 2 : la victime en quête d'un bourreau

Comme je l'ai souligné au chapitre 5, certaines personnes ont une mentalité de victime tissée dans leur identité et resteront dans votre équipe tant que vous ne les mettrez pas au défi de faire mieux. Ainsi mises au pied du mur, elles savent qu'elles ne peuvent pas quitter la cuisine sans une « bonne raison ». Inévitablement, c'est le chef cuisinier qui devient le bourreau. Ainsi, si elles doivent partir, ce n'est pas de leur faute mais de la vôtre, et voilà leur départ justifié. D'ailleurs, ne soyez pas surpris si votre victime met certains membres de votre équipe en garde contre votre mauvaise cuisine !

N° 3 : le virus de démission

Certaines personnes ont le virus de démission dans le sang. Même si leur équipe fait des merveilles pour leur vie et pour leur avenir, elles n'en démissionnent pas moins. C'est une question d'habitude. Leur point d'excellence : commencer sans jamais terminer. Il n'existe aucune cure pour ce virus contagieux. Prenez garde de ne pas vous faire contaminer à la sortie !

N° 4 : à la recherche d'un sauveur

Certaines personnes passent leur vie à se chercher un sauveur, quelqu'un qui en agitant sa baguette magique rende leur vie parfaite. Vous pourriez bien être le prochain sur leur longue liste de gourous. Ces personnes se joignent à votre équipe dans l'espoir que vous transformerez leur eau en vin. Lorsqu'elles s'aperçoivent que vous êtes incapable d'un tel miracle, elles s'accrochent tant qu'elles n'ont pas entendu parler d'un autre gourou extraordinaire à l'autre bout de la ville. Comment réagir ? En les laissant partir avec votre bénédiction !

N° 5 : les « chasseurs de projecteurs »

Si votre équipe est bien en vue, attendez-vous à voir se présenter des chasseurs de projecteurs. Il s'agit de personnes qui veulent partager la gloire du succès des autres. Tout en la courtisant, ces chasseurs font tout leur possible pour s'introduire sous les feux des projecteurs. Ce qu'ils veulent, c'est une part des lauriers. Ce qu'ils ne comprennent pas, c'est que la gloire empruntée ne procure aucune satisfaction.

Un chasseur de projecteurs, définissable aussi comme un nouveau venu, ne comprend pas que quand un projet se transforme en succès, toutes les bonnes places sous les projecteurs ont déjà été attribuées aux personnes qui y travaillent depuis le début. Ces personnes qui ont sué sang et eau pour créer quelque chose de remarquable au bout d'années d'efforts sont celles qui obtiennent les meilleures places. Les chasseurs de projecteurs doivent appendre que s'ils se posaient et concentraient leur énergie sur leur équipe au lieu d'en changer sans cesse et d'essayer de s'infiltrer dans un succès déjà établi, les feux des projecteurs finiraient par les trouver.

N° 6 : le four vide

Comme le dit un certain proverbe, si vous décidez d'afficher un menu, assurez-vous d'avoir ce qu'il faut dans le four. Il arrive que les gens quittent votre équipe lorsqu'ils découvrent que ce que vous avez à leur offrir ne leur suffit pas. Au tout début de votre équipe ou de votre entreprise, il est normal que vous ne soyez pas en mesure d'offrir de tout. Attendez-vous à ce que des personnes extraordinaires quittent votre équipe après n'y avoir passé que quelque temps.

Le roulement d'une entreprise se fait d'elle-même. Il vous suffit de maintenir votre vision et de rester fidèle à la culture de votre équipe.

Une fois que vous aurez mis de côté votre déception, vous comprendrez la raison de leur départ. Ce n'est pas que ce qu'elles ont vu leur a déplu, c'est seulement que cela ne leur suffisait pas. Ce qu'elles cherchaient était tout simplement au-delà de ce que vous pouviez leur offrir. Plutôt que de vous laisser décourager, soyez reconnaissant pour le temps qu'elles ont passé chez vous. Il y a fort à parier que leur séjour a contribué à renforcer quelque peu votre équipe.

Il faudra à votre équipe quelque temps pour construire un four assez grand pour contenir toutes sortes de friandises. D'ici là, assurez-vous simplement d'être en mesure d'offrir ce que vous avez de mieux et de bien nourrissant.

Les gains et les pertes

Habituez-vous à l'idée de voir partir des membres de votre équipe. Même lorsque votre entreprise ou votre équipe aura atteint la masse critique, vous devrez quand même à l'occasion vous accommoder du départ de quelques excellents membres. Certains quitteront pour les raisons que je viens de citer, d'autres pour des motifs différents. Le psychologue Phillip McGraw affirme qu'une crêpe a beau être plate, elle a toujours deux faces. Or comme vous ne connaîtrez jamais avec certitude que les détails de la vôtre, assurez-vous qu'elle se présente le mieux possible.

N'oubliez pas que certains départs peuvent être bénéfiques. Chaque équipe ayant sa propre culture, si un membre est en désaccord avec celle-ci, il ne sera pas efficace. La bonne nouvelle, c'est que vous n'avez pas besoin de vous en préoccuper, il partira de lui-même. En règle générale, le roulement d'une entreprise se fait tout seul. Il vous suffit de maintenir votre vision et de rester fidèle à la culture de votre équipe. Les personnes qui s'y trouvent bien resteront et celles qui ne s'y trouvent pas bien s'en iront. Résistez à la tentation de prendre leur départ personnellement.

Vous devez comprendre que tout chef doit s'habituer à être abandonné. Les meilleurs leaders du monde ont vu certains de leurs membres quitter leur équipe, car une équipe n'est pas une entité statique. Les gens vont et viennent au gré du flux et du reflux. La clé, c'est de traiter les membres de son équipe avec amour tant qu'on les a, tout en leur donnant du lest.

Faites croître le succès de votre équipe

Se rassembler est un début, rester ensemble est un signe de progrès, et travailler ensemble est garantie de succès.

— Henry Ford

On sait depuis longtemps qu'il faut bien plus de quelques semaines pour créer un esprit d'équipe. Selon certaines études sur le monde des affaires, il faudrait à une nouvelle entreprise sept ans pour traverser toutes les phases critiques avant d'arriver à maturité. Lorsqu'on construit une équipe, il faut préparer son esprit à un long parcours. Trop de gens se préparent à déployer les efforts nécessaires pour une course de quatre cents mètres alors qu'ils auraient dû se préparer psychologiquement pour une course de quatre cents kilomètres. Parfois nos supporters nous incitent à croire qu'il suffit de courir une petite distance avant de réussir. Puis, lorsque nous nous apercevons que nous sommes encore loin d'avoir atteint notre but, nous n'avons plus le moral. Mieux vaut se préparer psychologiquement à une longue course et être agréablement surpris.

Il faut comprendre que tout comme les gens, les équipes et les entreprises ne grandissent pas à la même vitesse. Les chefs commettent entre autres l'erreur de comparer leurs résultats à ceux de leurs pairs. C'est une situation sans issue.

Si quelqu'un d'autre semble faire mieux que soi, on risque fort de se décourager. Vice versa, si l'on se compare à quelqu'un qui réussit moins bien que soi, on risque d'alimenter son orgueil. L'orgueil comme le découragement sont des diversions destructrices. Pour l'amour de Dieu, laissez-vous inspirer par les autres et prenez exemple sur eux ; mais ne vous approchez pas du territoire périlleux qu'est la comparaison.

> *Mieux vaut se préparer psychologiquement à une longue course et être agréablement surpris.*

Nous pouvons contrôler bien des aspects de notre progression, comme par exemple la décision de progresser, le sens de notre avancement et le choix du moment. Toutefois, notre degré d'avancement quant à lui est en grande partie bien au-delà de notre maîtrise. La patience et la persévérance, deux vertus dont on ne vante pas assez les mérites, sont souvent piétinées lors de notre quête d'une croissance rapide. Mon propre frère, Chris Beavis, nous donne ce conseil précieux : « Ne donnez pas de stéroïdes à votre bébé dans l'espoir de le faire grandir plus vite : le résultat serait hallucinant. » (traduction libre)

Les histoires de croissance hallucinante retiennent souvent l'attention, car ce sont des aberrations fascinantes de la normalité. Ainsi, l'une des questions fondamentales qu'il faut se poser c'est pourquoi on recherche une croissance rapide. Les motifs ne peuvent être que mauvais : attention, accolades, excitation et acceptation par ses pairs. Peut-être voulez-vous grandir rapidement pour éviter les épreuves et l'ennui liés à une croissance naturellement lente. Qu'est-ce qui est préférable pour les membres de votre équipe ? Ce qui est préférable pour eux, c'est que vous ayez le temps d'investir personnellement dans leur vie, de les aider à comprendre la vision et à s'adapter à la culture de l'entreprise. Cela est impossible à faire dans le cadre d'une croissance explosive. Rappelez-vous également que ce type de croissance peut tout aussi bien vous exploser en plein visage.

Il vous faudra du temps pour créer une équipe de qualité, car les personnes de valeur n'accordent pas leur confiance au premier venu. La seule façon de gagner cette confiance c'est de leur donner le temps de voir qui vous êtes vraiment. Lorsque les membres de votre équipe ont le sentiment de connaître le fond de votre cœur, ils sont portés à vous être loyaux. Selon le formateur en leadership Dan Reiland, les gens ne suivent pas les personnes en qui ils n'ont pas confiance, ils ne font pas confiance aux personnes avec qui ils n'établissent pas de lien et n'établissent pas de lien avec vous s'ils ne trouvent pas le chemin de votre cœur. S'attirer la confiance de personnes de valeur requiert davantage de temps, parfois même des années. Mais vous avez tout à gagner en étant patient.

Renforcez les capacités des membres de votre équipe

Si vous vous donnez la peine de créer une équipe, qu'elle soit solide. J'ai vu des entreprises prospérer à une vitesse à vous couper le souffle et puis s'écrouler bien plus vite encore. Lorsqu'on examine le carnage et que l'on passe au tamis les débris, on ne manque pas de noter l'absence de tout fondement substantiel. Il est

> *Votre objectif n'est pas de créer une équipe parfaite, mais une équipe en bonne santé.*

impossible d'allumer un feu avec du bois pourri. La force de votre équipe dépend moins de vos aptitudes que de votre façon de renforcer les capacités de ses membres.

Votre objectif n'est pas de créer une équipe parfaite, mais une équipe en bonne santé, car qui dit santé dit croissance potentielle. Enseignez aux membres de votre équipe la valeur de la loyauté envers le groupe. Ceux qui servent la vision de l'équipe plutôt que leurs propres intérêts assurent la santé de toute l'équipe.

Bono, la première voix du groupe U2, à qui l'on demanda comment son groupe réussissait à rester ensemble aussi longtemps, répondit que si individuellement chacun d'eux répudiait le sien propre, l'ensemble avait un gros ego. La santé de toute équipe dépend de cela : la mise au rancart de l'ego personnel au profit de ce qui est préférable pour l'équipe.

Tout poste stratégique dans votre équipe doit être occupé par une personne assez sûre d'elle pour mettre de côté ses propres intérêts et faire ce qui est mieux pour l'équipe. Trop d'entreprises donnent des postes cruciaux à des personnes qui manquent d'assurance, sous prétexte qu'elles savent bien s'acquitter de leur charge. Or si elles sont souvent capables de remplir leur tâche, elles sont incapables de loyauté envers les autres. Toute entreprise qui fonctionne ainsi est en mauvaise santé et ne connaît aucune croissance. Il est préférable de donner un poste stratégique à une personne loyale envers son équipe, même si elle fait son

> *Ils doivent d'abord voir l'effet de la vision sur vous avant de l'adopter eux-mêmes.*

travail moins efficacement que le «performeur qui manque d'assurance».

Les qualités d'un bon chef d'équipe

Donnez aux membres de votre équipe les moyens de vous suivre, faute de quoi, ils se sentiront frustrés. Ils ne pourront que vous admirer, vous envier, être intimidés par vous ou pire encore, vous critiquer. Vous ne pouvez pas vous placer derrière eux pour les pousser. Rappelez-vous qu'un leader est un modèle qui peut servir aux autres. Vous devez mener votre équipe en donnant le bon exemple et votre vie doit refléter votre engagement. Les membres de votre équipe doivent d'abord voir l'effet de la vision sur vous avant de l'adopter eux-mêmes.

Un chef accompli est ravi de voir les membres de son équipe étendre leur influence. Le contraire indique un manque d'assurance et la crainte de voir sa propre valeur décliner si celle des autres augmente. Un chef accompli appuie

> *En tant que chef, vous vous devez d'absorber l'incertitude.*

tout membre loyal qui excelle, ce qui augmente sa valeur encore davantage. Si par contre il note des signes de déloyauté au sein de l'équipe, il doit se débarrasser du sujet. Rob Koke, leader d'un grosse entreprise du Texas, nous dit comment nous y prendre : «Si dans votre âme vous tolérez mais n'appuyez pas un certain membre de votre équipe, débarrassez-vous-en avec grâce, générosité mais sans perdre de temps.» Plus vous attendrez, plus ce sera dur.

Un bon leader n'inflige pas les hauts et les bas de son entreprise à ses membres. En fait, en tant que chef, vous vous devez d'absorber l'incertitude. Si vous ou votre équipe traversez des moments difficiles, n'attirez pas l'attention sur ces embûches mais plutôt sur votre objectif. Attirez les regards vers l'horizon plutôt que vers le sol.

Un chef qui fait preuve de sagesse ne se veut pas trop rassurant, car il risque d'être soupçonné de vouloir dissimuler son incertitude sous des propos sécurisants. Il apprend à sauvegarder le moral des troupes même lorsque lui ne l'a pas. En définitive, un bon leader a la détermination de Christophe Colomb qui, les jours de désespoir, d'incertitude et les risques de mutinerie, écrivait dans son journal de bord : « Aujourd'hui, nous avons navigué. »

Les joies du leadership

Peut-on connaître le succès sans jamais être chef d'équipe ? Bien sûr, mais un certain niveau d'avancement personnel ne peut être atteint qu'en menant une équipe vers le succès. En effet, cette mission fait ressortir le meilleur de vous et se charge d'effacer vos pires côtés. Diriger une équipe est une expérience de vie des plus enrichissantes et des plus exaltantes, et ce, malgré certaines circonstances parfois gluantes. La vérité absolue, c'est que tout le monde a un potentiel de leader. C'est l'occasion de donner à notre vie une part plus active dans celle des autres.

Diriger une équipe nous permet non seulement de vivre les joies de notre propre avancement, mais nous accorde le privilège de célébrer celui des membres de notre équipe. Le fait de voir les autres récolter les bienfaits du succès procure une grande joie. On a atteint les échelons supérieurs du succès lorsqu'on apprécie les victoires de son équipe plus encore que les siennes.

L'une des plus tristes phrases de la Bible concerne un chef qui passa complètement à côté de la signification du leadership. La vie de Joram, roi de Juda, fut résumée en ces quelques mots : « [Il] mourut sans être regretté. » Ce sentiment met en lumière les mots du regretté Dr Norman Vincent Peale selon qui celui qui vit pour lui-même est un échec, tandis que celui qui vit pour les autres a atteint le véritable succès.

La clé d'un meilleur avenir

ontrairement aux autres métamorphoses, le remodelage à l'image du succès n'est pas un événement isolé mais un processus d'avancement continu grâce à l'amélioration de soi. La définition du succès et la clé d'un meilleur avenir, *c'est terminer sa journée en s'étant réalisé mieux que la veille et faire de même le lendemain.*

En effet, il n'est pas facile d'atteindre le succès. L'énergie gravitationnelle de la vie tend à vous tirer en arrière et non à vous pousser de l'avant. Si vous avez l'intention de progresser, soyez prêt à braver l'ordre naturel des choses. Le succès ne va pas vous courir après et s'imposer, ce que fera cependant la médiocrité. Il est facile de rester tel qu'on est et plus facile encore de régresser. Pour cela, il suffit de se laisser vivre. Pour réussir, il faut aller à contre-courant, résister et recommencer le lendemain. Il faut s'engager à faire mieux aujourd'hui qu'hier, que la veille se soit soldée par un échec ou par une victoire.

Améliorer ses bons jours

Il y a plusieurs années, j'étais chef d'une entreprise employant quelques centaines de personnes. C'était très amusant. Pendant ma dernière année là-bas, je dus tant voyager pour remplir mes fonctions de porte-parole que je sentis qu'il était temps pour moi de remettre les rênes du leadership à d'autres. Ce fut une décision difficile à prendre, car j'aimais énormément les gens de mon équipe et je gardais de très bons souvenirs. Je donnai cependant ma démission et poursuivis mon chemin, du moins c'est ce que je pensais. Ce n'est en fait que quatre mois après mon départ physique, alors que je me trouvais dans un taxi à l'autre bout du monde, que j'ai quitté l'entreprise mentalement.

> *Le succès ne*
> *va pas vous*
> *courir après*
> *et s'imposer.*

J'avais quitté Los Angeles alors qu'il faisait froid. Je portais une veste arborant l'écusson de l'entreprise d'où j'avais démissionné. C'était ma veste préférée. Elle m'allait bien et l'écusson stylisé était le fruit d'un travail d'équipe. Cette veste avait donc une valeur sentimentale en plus de valoir pas mal d'argent!

La chaleur qu'il faisait à Sydney me rappela que pendant mon vol de seize heures, j'avais changé de saison et étais passé de l'hiver à l'été. Montant à bord du taxi qui devait m'emmener en ville, j'en profitai pour enlever ma veste. Puis, une fois arrivé à destination, j'aidai le chauffeur à sortir mes bagages du coffre.

Tandis que le taxi s'éloignait, je m'aperçus que j'avais oublié ma veste préférée sur le siège arrière. Ma première réaction fut de téléphoner au siège social de la compagnie et d'informer le préposé que j'avais laissé dans le taxi un objet de valeur. J'étais convaincu qu'en agissant vite, je pourrais récupérer ma veste. Mais c'est alors que j'entendis la voix : « Wes, laisse-la où elle est. Cette veste n'est pas un symbole de ton avenir. Laisse aller cette partie de ta vie. De nouvelles réalisations t'attendent. Il est temps de poursuivre ton chemin.» J'ignore si c'était la voix de Dieu ou celle d'Og Mandino, peut-être des deux. Je sais cependant que c'était la bonne chose à faire. J'avais pour tâche de faire mieux que la veille, pas de m'y accrocher.

Peu importe la qualité actuelle de notre vie, elle peut toujours être améliorée. Si nous laissons nos succès passés nous servir de tremplin plutôt que de boulet, rien ne nous empêche

Si hier fut une bonne journée, faites-lui honneur et ne lui permettez pas de vous retenir en vous privant d'une journée encore meilleure.

de découvrir ces meilleurs jours. Si hier fut une bonne journée, faites-lui honneur et ne lui permettez pas de vous retenir en vous privant d'une journée encore meilleure.

Améliorer ses mauvais jours

Un samedi fatidique de février 2003, les Américains apprirent que la navette spatiale Columbia s'était désintégrée tandis qu'elle revenait dans l'atmosphère terrestre. Les partisans de l'exploration spatiale et les citoyens du monde entier furent toute la journée anéantis par cette nouvelle catastrophique. Tous les réseaux de télévision annulèrent leur programmation normale afin de couvrir la conférence de presse donnée par Milt Heflin, directeur de vol et par Ron Dittemore, responsable du programme Navettes.

Personne ne connaissait vraiment la cause de cette tragédie. À ce moment-là, tout n'était encore que conjecture.

> « *Lorsque la journée a été rude, nous nous efforçons de faire mieux.* »
> (traduction libre)
> — *Milt Heflin, directeur de vol de la navette Columbia*

MM. Heflin et Dittemore devaient faire face non seulement à l'échec retentissant d'une mission, mais à la perte de leurs amis astronautes. En regardant ces hommes s'adresser au monde, je me dis que s'ils n'avaient pas la réponse à tout, ils ne manquaient pas de détermination. Tandis qu'ils répondaient au pied levé aux questions qu'on leur adressait, leur attitude reflétait toutes les qualités de leaders exemplaires.

En réponse à la pire catastrophe de l'histoire de la NASA, le directeur de vol Milt Heflin dit ceci : «Lorsque la journée a été rude, nous nous efforçons de faire mieux.» S'étant fait demander comment ils allaient surmonter toutes ces pertes, le responsable du programme Navettes Ron Dittemore répondit que le meilleur traitement dans ce cas, c'est de se remettre à la tâche.

Nous aurions tout avantage à suivre ces conseils. Si hier fut une journée difficile, nous avons aujourd'hui le devoir de faire mieux. C'est le meilleur traitement qui soit ; il donne de surcroît de bons résultats. Il est dit dans un psaume que «Ceux qui sèment dans les larmes, moissonnent dans la joie».

> *Si votre maison est en flammes et que vous cherchez à maîtriser l'incendie à l'aide d'un tuyau d'arrosage, ce n'est pas un changement d'attitude ou des efforts accrus qui vont faire la différence.*

Nous ne pouvons rien aux événements d'hier, mais nous pouvons améliorer la moisson de demain en semant dès aujourd'hui les graines de l'amélioration.

Améliorer ses capacités

La romancière Phyllis Bottome écrivit qu'il y a deux façons d'aborder les difficultés : en les diminuant ou en changeant sa façon de les affronter. Souvent, nous pouvons diminuer nos ennuis grâce à un changement d'attitude ou à force d'efforts, mais cela n'est pas toujours la solution. Si votre maison est en flammes et que vous cherchez à maîtriser l'incendie à l'aide d'un tuyau d'arrosage, ce n'est pas un changement d'attitude ou des efforts accrus qui vont faire la différence. Par contre, pour combattre les incendies de la vie, l'attitude et les efforts sont essentiels. Dans certaines situations, il faut savoir cependant admettre son besoin d'un tuyau d'arrosage plus adéquat.

Dans son livre intitulé *The 100 Simple Secrets of Successful People*, le Dr David Niven affirme que l'effort en soi est un très mauvais indice de résultat. Selon lui, parce que l'effort inefficace entraîne un découragement extrême, les gens sont portés à croire qu'ils ne réussiront jamais puisque les efforts les plus soutenus n'ont jamais rien donné. La volonté ne suffit pas. Il y a des moments où notre talent doit rattraper notre volonté de progresser.

John C. Maxwell aborde cette question en affirmant qu'il ne suffit pas de rêver, que si nos capacités ne sont pas à la hauteur de notre rêve, celui-ci se transforme en cauchemar et que sans l'aptitude ou le niveau de compétence pour y arriver, on doit s'attendre à des frustrations de premier ordre.

> *Il y a des moments où notre talent doit rattraper notre volonté de progresser.*

Par conséquent, si votre quête d'avancement est empreinte de frustration, vous trouverez sans doute la solution dans l'amélioration de vos aptitudes.

Une vision, une bonne attitude, un travail acharné et de la persévérance ne suffisent pas. Si vous n'améliorez pas l'ensemble de vos compétences, ces valeurs ne vous mèneront à l'échec que plus rapidement. Votre quotient intellectuel n'est pas coulé dans du béton. Qu'est-ce qui vous empêche de le développer ? Le développement de vos aptitudes combiné à votre vision, à votre attitude, à votre travail acharné et à votre persévérance, voilà une combinaison gagnante.

Un vainqueur achevé

Depuis 1948, Bud Greenspan couvre les Jeux olympiques à titre de diffuseur, de journaliste et de cinéaste. Ce producteur et historien primé du domaine du sport a su capturer les grands moments de l'histoire des Jeux, des moments souvent manqués par une culture qui ne s'intéresse qu'aux athlètes qui finissent sur le podium. De tous les vainqueurs des Jeux olympiques, John Stephen Akhwari est l'un de ses héros.

> *« Tu es en sang et tu souffres terriblement. Pourquoi as-tu fait ça ? »*

John Stephen Akhwari représentait la Tanzanie aux Jeux de 1968 qui eurent lieu à Mexico. Lorsque le signal du départ retentit, ce coureur de marathon se mit à courir avec toute la puissance d'un homme qui a rêvé de gagner la médaille d'or. Toutefois, quelques kilomètres plus loin, il eut un accident. Adieu médaille d'or. John ne s'avoua pas pour autant vaincu. Plus d'une heure après l'arrivée des derniers participants, la jambe enveloppée dans des bandages, il refit son apparition dans le stade où il ne restait plus que quelques centaines de spectateurs.

Courant aussi vite que possible, le coureur de marathon tanzanien visait maintenant la dernière place. Souffrant terriblement, physiquement et moralement, il fit clopin-clopant le tour du stade maintenant obscur, jusqu'à la ligne d'arrivée. Se dirigeant vers lui, Bud Greenspan lui dit : « Tu es en sang et tu souffres terriblement. Pourquoi as-tu fait ça ? » Dans son esprit, il aurait été tout à fait logique que John abandonne la course pour épargner sa blessure. Or, celui-ci lui répondit que son pays ne l'avait pas envoyé à quelque huit mille kilomètres pour commencer la course, mais bien pour la terminer.

Ces mots puissants de John Stephen Akhwari s'appliquent aux hommes comme aux femmes. Nous sommes tous dans la course de la vie. Peu importe si nous avons fait un bon départ, si les éléments sont en notre faveur ou si nous avons pris du retard, le choix de poursuivre jusqu'à la ligne d'arrivée nous appartient. Peu importe si jusqu'ici on n'a pas trop bien réussi. Peu importe que l'on soit blessé et que l'on doive poursuivre dans cet état. Peu importe qu'on ne soit pas considéré

« Mon pays ne m'a pas envoyé à quelque huit mille kilomètres pour commencer la course, mais bien pour la terminer. »
— John Stephen Akhwari

comme un aspirant à la médaille. Peu importe que l'on arrive dernier. Peu importe qu'il n'y ait plus d'éclairage. Tout ce qui compte, c'est de continuer à courir.

Placez un pied devant l'autre en vous tournant dans la bonne direction. De cette façon, chaque pas devient une amélioration de votre état actuel. Poursuivez votre chemin et vous vaincrez parce que, mes amis, dans cette course qui s'appelle la vie, quiconque persévère et continue de progresser finit vainqueur.

On dit que nos décisions font de nous ce que nous sommes. Si vous prenez la résolution d'améliorer au quotidien votre vie et celle des autres, vous vous en tirerez vainqueur. Et c'est là l'idée même du remodelage à l'image de la réussite.

— Wes Beavis

Table des matières